U0124157

相 信 閱 讀

Believing in Reading

《宏碁的世紀變革》修訂版

典範轉移
順勢變革

破而後立，掌握贏的關鍵

Millennium
Transformation

施振榮——著　張玉文——採訪整理

C◯NTENTS
目錄

典範轉移，順勢變革

序　　　　傳承之心／葉紫華　　　　　　　　　　　004

自序　　　大破才能大立（2015 年）　　　　　　　007
　　　　　我的龍夢之旅（2004 年）　　　　　　　011

前言　　　回首來時路　　　　　　　　　　　　　017

CHAPTER　　**1　ABW家族新貌**　　　　　**032**

第 一 章　二造宏碁　　　　　　　　　　　　　035

第 二 章　淡出半導體　　　　　　　　　　　　061

第 三 章　網路事業轉型　　　　　　　　　　　083

第 四 章　國際化開花結果　　　　　　　　　　097

第 五 章　兄弟爬山，各自努力　　　　　　　　123

王道心解　從開始管理未來　　　　　　　　　　147

CHAPTER　　**2　鮮活新思維**　　　　　　**152**

第 六 章　變革管理　　　　　　　　　　　　　155

第 七 章　新世紀的微笑曲線　　　　　　　　　171

第 八 章　創造品牌價值　　　　　　　　　193

第 九 章　永續企業的基石　　　　　　　　217

第 十 章　展望台灣產業的未來　　　　　　237

王道心解　面對典範轉移的挑戰　　　　　　256

CHAPTER ◉ **3**　**大步向前**──施振榮的成績單　**260**

第十一章　觀念領先，行動領先　　　　　　263

第十二章　創業有成　　　　　　　　　　　287

王道心解　忘記過去，才能成就未來　　　　304

結語 ◉　不虛此行　　　　　　　　　　　　308

採訪後記 ◉　見證歷史／張玉文　　　　　　312

附錄 ◉　宏碁的里程碑　　　　　　　　　　318

MILLENNIUM
TRANSFORMATION

序
傳承之心

葉紫華

這些年來施先生變了嗎？還是一個樣，只是白頭髮多了些。年紀六十了，年底就要退休了。2004年以來，他一直急著把過去的重點，做一完整翔實的紀錄，希望透過這些文字，向社會大眾陳述宏碁蛻變的過程，並藉此傳承。

八年前，《利他，最好的利己》（原書名《再造宏碁》）出版時，正好是宏碁創立二十週年，也做出一些成績來，他想透過書籍的出版，提供大家一個很清楚的描繪，如果大家能從宏碁的故事中得到啟發與鼓勵，《利他，最好的利己》就顯現出它的價值了。

現在他寫《典範轉移，順勢變革》（原書名《宏碁的世紀變革》）這本書，正值他退休前的時點，基於相同的理念，他也希望我們（宏碁）的整個發展過程，能對讀者有所啟發。

就施先生本身來講，他一直希望能將自己知道的東西傳承出去，這是十分難得的，因為在商場或職場上來看，真正願意毫無保留分享東西的人並不是那麼多，而他有這個心願，也真的傾全力把自己的經驗，毫無忌諱的傳出來，這份認真與用心，相信大家可以從這兩本書裡看到。

而選擇用書的形式（皆有出英文版）分享經驗與觀念，

可以使世界各地、包括海峽對岸的人都看得到，希望大家都
能珍惜他回饋社會的這份心意。

▍以人為本

《典範轉移，順勢變革》這本書是以施先生的角度在看
一些事情，他以第一人稱的方式，說出宏碁一路走來面臨的
挑戰、為成長付出的代價，以及從中獲得的寶貴經驗。

在這段歷程中，他用包容的心看待一切，不斷提供舞台
給他的夥伴；他用同理心來看競爭對手，彼此相存相容；他
更用對社會的責任心來提攜年輕人，讓宏碁的子弟兵都有發
揮的機會。

書中處處可見施先生的真誠與坦率，是自己犯的過錯，
他不諱言；有些內容在我看來，甚至是公司內的機密，他也
寫了出來，讀者將在這本書中看到來自施先生的第一手消
息，以及宏碁的內幕故事。

文中你可以體會「人」是我們的本。人是決定企業發展
的關鍵，不一樣的人就會帶出不一樣的團隊，產生不一樣的
結果。

在宏碁一路走來的過程中，你可以感受到「人」左右了
一切，一個人能成什麼氣候完全由自己決定，也和自己的價
值觀有關，在上位者的心態非常重要，如果有任何的偏差，
傳到下面，累積之後所造成的影響將非常可觀。細細品味
它，可做借鏡。

宏碁是很多人成就出來的，站在施先生的立場，他盡力

提供一個讓人發揮的舞台，最後的成果（造化）就由主其事者的想法及行為去決定。施先生交棒時，交得乾乾淨淨，不願帶給人任何負擔，因此他讓大部分資深同仁提前退休，並創立智融集團，也把不良帳以投資收益沖銷清楚，好讓接棒者有一個十分乾淨的舞台發揮。

我們認為，企業發展好的時候，不表示永遠都會好，要思考如何去維持；如果不好時，也並不表示永遠都不好，要思考如何去突破、改變現狀。這一切都要靠自己。

書中的宏碁，施先生是龍頭，說是也可說不是，宏碁是我們所有宏碁人的集體創作，換言之，沒有許多人的幫忙，施先生就不會有今天的成就。我們心存感恩，並感謝一路走來幫助他的人，因此在年底，將會有個「龍夢之旅」的感恩晚會，感謝一路走來幫助過我們的人。

在這本書醞釀的過程中，施先生十分盡心的把書寫好，每每看他在桌前一遍遍修改稿子，每次接受訪談後，滿臉通紅，血壓上升，實在不忍，但他認為這是使命，做妻子的我，只有支持。

書終於要出版了，而我企盼他退休的日子也將來臨。最近很多人問，施先生退休後會做些什麼，我只希望他退休後能完全放下，不要管這麼多事，身體健康最重要，然後做些回饋社會的事，留點時間給我，悠閒的生活，享受含飴弄孫的幸福。

（本文作者為智榮文教基金會執行長）

自序
大破才能大立（2015年）

　　電子產業的典範轉移，主要源自兩大領域：電腦與半導體，在這其中都是由台灣啟動。

　　1983年，宏碁成立自有品牌，帶動資通訊（ICT）產業發展，讓電腦普及化到全球；1987年，台灣積體電路製造公司成立，開啟全球晶圓代工服務產業，那時我並不清楚，我們在做的就是全球產業的下一波典範，只是觀察到這可能是產業的未來變化。

　　一直到1991年時，美國《哈佛商業評論》雜誌（*Harvard Business Review*）提出了「不製造電腦的電腦公司（computerless computer company），無晶圓廠的半導體公司（fabless semiconductor company）」的論點，迅速帶動全球進行典範轉移。後來，我根據分工、整合與附加價值的概念，在1992年提出微笑曲線。

　　在個人電腦產業，大約每十年會出現一次典範轉移；宏碁在2000年有一次變革，到2010年，早就應該要變革，卻沒有做到。結果，正好iPad誕生，如果我們可以早一點變革，至少損失不會那麼多。這個損失不只是有形的財務表現，還包含品牌形象、員工信心和資源。

　　十年變革是自然而然演進的結果，不是為變革而變革。

變革的目的，是要為社會創造價值，因此企業必須先釐清自己的目標，再設法把恰到好處的價值，送到有需求的客戶手中。這是王道創值兵法中的以終為始、價暢其流，也是這本書的核心觀念。

▇ 自我變革才能跟上新時代

在個人電腦產業，過去的供應鏈體系，大型品牌商與代工廠合作，多半是微軟（Microsoft）與英特爾（Intel）分別提供作業系統與處理器，代工廠只要處理電腦系統的部分，將產品設計、組裝完整，品牌商則僅負責行銷與通路經營。這樣的模式相對有效，宏碁才會將品牌與製造分家。

以往的勝利方程式，就是把這套價值鏈的效率提升到極致，例如當英特爾將推出新處理器，宏碁就會盡可能縮短開發時間，以求領先對手約半個月推出新品。

但是，若不在典範轉移的過程，順勢變革，原本相較於競爭者，相對有效的價值鏈，反而變得相對的無價值，宏碁因為沒能即時在 PC 市場被手機、平板的價值侵蝕前進行變革，面臨 2011 年到 2013 年連續虧損的困境。

當年在寫這本書時，我用變革管理來貫穿想分享給大家的經驗，現在再以王道檢視那樣的思維，便能更理解一路以來，我不斷強調的企業成長是有極限的，想要永續，絕對不能墨守成規，必須果決的自我變革，與其等待典範轉移，不如起身成為啟動者。

回歸王道精神，社會能不能進步，端視大大小小的領導

者在面對新的需求、變化時，如何更王道，為社會創造出更多的價值，這也是我常說的「不換腦袋，只好換人」，換腦袋就是跟上新時代的典範。

■ 共存共榮的新商道

未來的競爭典範勢必轉移。

資本主義也因出現許多弊端，產生典範轉移，從過去重視股東權益，進而重視公司治理、企業社會責任，因為希望人相對變得不那麼霸道，但它還是屬於由外到內的要求，而非從內往外的自主，加上太過重視利益的顯性價值，忽略持續成長的隱性價值。

在這種狀態下，就算得天下，往往也是一時，無法長久居安，還是會面臨永續經營的瓶頸。

何況，贏者全拿不符合國際社會所需，也不符合民主政治、人權政治的思維，在國際間，就有不少國家很反對美國的霸權主義。

在「占領華爾街運動」期間，唯一前往祖科提公園聲援的諾貝爾經濟獎得主史迪格里茲（Joseph E. Stiglitz），曾在《浮華世界》（*Vanity Fair*）寫過一篇標題為「Of the 1％, by the 1％, for the 1％」的文章，把林肯蓋茨堡演講的名言「of the people, by the people, for the people」中的people換成1％，來形容民有、民治、民享的美國夢，早已因為貧富差距，而變質成百分之一有、百分之一治與百分之一享的美國噩夢。

如果華爾街文化依然不考量贏者通吃的後遺症，問題只

會更嚴重。

這個世界需要的，是一個讓所有人能夠共存共榮、共創價值的新商道典範，打破贏者通吃、貧富不均的霸道思維。我相信，若能以王道為基礎，重新建立世界的生態，人類的永續相對能創造出更高的價值。

近五年來，台灣對於產業升級轉型的需求愈來愈急迫，也開始關注競爭力、永續發展生生不息等等議題。因此，我把2015年定為「王道插秧計畫」元年，除了推出王道經營會計學，還與天下文化合作，推出「王道創值兵法」系列套書。

▓ 植入王道DNA

王道是組織的領導之道，它的核心理念是創造價值、利益平衡、永續經營，並透過六面向價值總帳論評估事物的總價值，才能長期平衡發展，達到最大價值。

至於王道創值兵法的內涵，則包括：一以貫之、以終為始、吐故納新、價暢其流，這些觀念在套書裡都可以看見，只是有些書會又特別側重其中幾項。

所以，三造宏碁時，我就在組織裡植入王道的DNA，讓宏碁重新回到創業時的王道精神。變革永遠不嫌晚，只是變革的力量來自溝通共識，這是優先要做到的；若是以後領導人可以更有危機意識，甚至願意先換腦袋，改變思維，就可以順勢啟動變革。

自序

我的龍夢之旅（2004 年）

　　1996年我出版了《利他，最好的利己》這本書，選在那個時機出書有三個原因。第一個原因，那年正好是我創業二十週年；第二，宏碁從1992年開始推動第一次企業再造，剛好在1996年進入階段性的高峰，累積了很多經驗，值得記錄下來；第三個原因是遠見天下出版公司社長高希均教授邀我寫書。

　　相隔八年之後出版的這本書《典範轉移，順勢變革》則跟我的退休有關。我從來都不想寫自傳，所以《利他，最好的利己》和《典範轉移，順勢變革》都不是自傳，而是我自己創業和經營企業的經驗談，也包含了我個人經過多年醞釀而發展出來的一些理念和想法。

　　我寫《典範轉移，順勢變革》一方面是因為高教授的邀請，同時也是我自己本來就計劃要進行的，因為我一直在思考要如何紀念自己六十歲退休，其中一個構想就是把我在宏碁值得參考的經驗記錄下來。

　　本書也會發行英文版，英文書名為*Millennium Transformation-Change Management for New Acer*，希望明年初能夠問世，主要目的是希望來自台灣宏碁的獨特經驗，不只對華人企業有幫助，也能夠提供一些後進國家的企業參考，

尤其對他們的國際化有所助益。《利他，最好的利己》的英文版可能也會重新出版，書名是 *Me-Too Is Not My Style*。

　　《利他，最好的利己》描述的是從我創立宏碁到1996年這二十年間的發展歷程，本書則記錄了1996年到2004年的八年間，宏碁經歷的一些重大轉折，尤其是2000年年底推動的第二次企業再造，以及這些轉折的背景和決策過程，其變化更甚於1992年的第一次企業再造。

　　宏碁經過1992年的企業再造之後脫胎換骨，締造了高成長的好成績。但是到了1998年，宏碁再度面臨瓶頸，一方面，宏碁轉投資生產DRAM（動態隨機存取記憶體）的德碁半導體大虧，後來轉售給台積電經營，而宏碁本身則面臨美國市場的自有品牌業務大虧，經過多次的換將，到最後幾乎全面退出美國市場。接著在2000年受到網路泡沫破滅的波及，到了2000年後半年，媒體不斷報導宏碁陷入困境。

　　在這樣的內外壓力下，逐漸醞釀了宏碁第二次企業再造（二造）的契機，宏碁亟待突破成長的極限，再創高峰。

　　2000年年底，二造啟動，展開一連串企業分分合合的行動，首先我將自有品牌和研展製造兩項業務分割獨立，然後明基另立BenQ品牌，達基和聯友合併成為友達，國碁由鴻海併購，出讓揚智的股權給聯發科技。

　　這一連串的行動不但對宏碁的長期發展有所助益，而且其中有很多購併的動作在台灣都算是首例，為台灣產業的發展提供一些值得參考的模式。

　　當我在推動這些變革時所做的決策，都是基於以下的幾個原則：

- 企業面臨問題的時候，應該積極面對。
- 明確提出處理問題的方法，尋求不同的解決方案。
- 決策要以股東利益為最優先，並且兼顧員工權益。
- 將個人喜好放在其次，尋求一勞永逸的解決方案。

這些原則講起來簡單，但是一般人在做決策的關鍵時刻，往往很容易疏忽。

▌三十三年產業經歷的回顧

在退休之際，回顧我從就業、創業至今三十三年的產業經歷，實在留下很多美好的回憶。三十三年前我從研究所畢業，決定在國內就業，很幸運的進入台灣第一家擁有研究發展的環宇電子公司，在環宇開發出台灣第一部電算器。

1971年，環宇大股東林榮春的三子林森邀我合作創立榮泰電子，我們既自創品牌，也代工生產。我在榮泰時，不斷開發出掌上型電算器及電子錶的許多新產品，並且在1976年推出全世界第一支電子錶筆，留下了很好的回憶。

原先榮泰電子的營運很順利，但是後來受到大股東家族經營的事業拖累而陷入困境，因此我不得不離開榮泰。我在很倉促的情形下，於1976年9月創立了宏碁，主要的目的是為了延續在榮泰電子的遠程目標，也就是要進入新興的微處理機應用產品的市場，不希望喪失微處理機帶動二次工業革命的機會。

在我創業的時候，台灣的電子工業在製造方面已經具備相當的競爭力，我覺得當時台灣最需要加強的就是研究發展

和國際行銷,所以我創業以來一直朝這兩方面努力。這個概念逐漸具體化,後來我將其發展成為「微笑曲線」理論,至今仍常受到外界的引用。

宏碁在1992年進行第一次企業再造時,我正式提出微笑曲線,用這條曲線來說明電腦業附加價值最高的部分,已經由中間的系統組裝移轉至曲線的兩端,包括左端的研究發展和右端的行銷。

宏碁經過近三十年的努力,一直朝微笑曲線附加價值最高的部分發展,而台灣如果希望更上一層樓,也必須朝微笑曲線的左右兩端不斷向上提升,這可以說是台灣產業唯一的發展方向。

▓ 持續薪火相傳

很多人說我是台灣資訊電子業發展的寫照,不只是因為我是從事這個產業最資深的人士之一,更因為我遇到的挫折最多、繳的學費最高,經歷的事業範圍最廣而且深入。

從這個角度來看,我想我可以算是產業的一寶,應該能夠對這個產業有更多貢獻,除了寫書分享我的經驗和心得,尤其是失敗的教訓之外,也希望在我退休之後,能夠繼續薪火相傳的工作。

我在退休後,將把重心放在新創立的中華智融集團(iD SoftCapital),中英文的標語分別為「智慧融通,共創價值」及「Intellectual Development For The New Economy」,希望透過中華智融進行投資和薪傳的工作,與大家共創價值。

　　標竿學院是我退休後的另一個關注重點，也跟薪傳有關，我希望標竿學院能夠針對華人企業經營人才開發出符合其需求、具有世界級水準的培訓教材，並且透過師資訓練，把這些教材普及推廣到整個華人世界。

　　另外，我也設立了「薪傳網站」（www.stanshares.com.tw），其中的內容都是我對企業目前面臨的困境及未來發展所提出的想法和意見，希望提供企業界及相關人士參考，內容會隨時更新，歡迎有興趣的人隨時上網參考、交流。

　　我非常幸運，能夠在事業表現達到高峰的時刻光榮退休。在我三十餘年的事業生涯當中，要感謝的人非常多，其中最重要的就是永遠做為我最大精神支柱的母親，還有與我一起創業、一起打拚、共同度過事業起伏的內人施太太。在工作上，施太太葉紫華女士常常扮黑臉，做一些吃力不討好的事情，或者是人家不喜歡做的事，就由她來做。

　　此外，我要感謝所有的同仁，他們不只是努力工作而已，還具備了使命感。

　　我也感謝與我們良性競爭的同業，以及政商界的朋友。由於我不樹敵，所以總感覺大家都是在幫助我，也就認為大家都是朋友。

　　為了感謝這一路上曾經幫助過我的人，我將在今年的最後一天，也就是我正式退休的這一天，舉辦一場名為「龍夢之旅 —— 施振榮的感恩之夜」的晚會，英文名稱是「Setting a Milestone, Thank You from Stan」，邀請那些曾經幫助過我的人來參加。晚會的節目設計得很緊湊，受邀表演的都是能夠代表台灣精神的藝術表演者。

■ 找出實現「龍夢」之路

「龍夢」代表的是多數華人的理想，希望華人在國際舞台上能夠揚眉吐氣。這二十八年來，我把多數人心裡想走而不敢走的路、想走而不知該如何走的路，勇敢的走了一回。

我一直想帶著大家一起找出一條可行的路，在這麼多年的摸索過程中，有坦途順境，也有崎嶇歧路，現在總算可以說是直接、間接都有所收穫，直接的收穫就是宏碁逐漸找到發展方向，間接的收穫則是讓別人從我們的經驗和教訓中得到一些啟示。

二十八年來，我以新台幣一百萬元創立的宏碁，發展到今天的ABW家族（Acer宏碁，BenQ明基，Wistron緯創），達到總營業額七千五百億元的規模，今天還能維持約40％的成長。在我退休之際，這實在是很值得高興的事情。

雖然我的事業規模已經發展到以千億元為單位來計算，但是，我從創業之初秉持的基本精神，「挑戰困難，突破瓶頸，創造價值」，到現在始終沒有改變。正是基於這種精神，我才能夠在整個事業生涯裡不斷無中生有，不斷面對新挑戰，雖然事業的發展起起伏伏，但是到最後都能夠突破瓶頸，創造價值。

創立宏碁豐富了我的生命，實現了我的夢想，從宏碁退休之後，我將繼續創造我生命的價值。感謝許多與我志同道合的夥伴，願意和我一起繼續努力，協助更多人創造價值，共同成就大家的理想。

前言
回首來時路

　　宏碁自1976年創立以來，進行過大大小小的變革，其中只有兩次真正稱得上是「企業再造」（reengineering），第一次再造（一造）是在1992年，第二次（二造）是2000年年底。這兩次的變革，都是因為內外在環境產生很大的變動，使得宏碁的營運面臨困難，經過大刀闊斧的改革之後，宏碁都能脫胎換骨，走出低潮，開創另一階段的高峰。

　　其他規模比較小的變革也不少。例如，宏碁成立之初，受限於財力，於是從貿易和技術顧問業務切入微處理機（為今日資訊、電子產品的核心技術）市場。1981年成立宏碁電腦公司，在新竹科學園區設廠，從此由服務業跨入製造業，這也是一種改變，但當時是為了掌握商機，並不算是太大規模的變革。

　　1998年宏碁曾經調整集團的組織架構，將整個集團劃分為五個次集團，當時雖然也稱之為再造，但是現在回想起來，那時是我為了準備六十歲退休，要慢慢交棒，所以先釐清未來的發展，只是按照既有的發展方向順勢調整，其實並沒有推行重大的變革，所以應該不能稱為再造，只能算是「準再造」。

　　再從另外一個角度來看，一般再造都是有重大危機

才會有重大改革，比如說英特爾決定專注在中央處理器（CPU），放棄動態隨機存取記憶體（DRAM），而DRAM是它的本行，所以這是很大的決定。事後來看，宏碁在1998年並沒有面臨重大危機，「準再造」的一些做法，為2000年年底的二造奠定了部分基礎，等於是二造的暖身，所以我稱之為「準二造」。

▎《利他，最好的利己》的價值

《利他，最好的利己》記錄宏碁從創立到一造，以及一造完成之後的高成長階段，也包含我自己的許多理念和想法。這本書推出之後，反應比我預期的好，這不是指銷售量而已，還包括大家對這本書的肯定。

有很多人讀了之後，給我很多鼓勵，因為他們發現一般企業界人士出的書大多是成功經驗的分享，學術界人士出的書則多半是把一些簡單的道理做很詳細的鋪陳和闡釋，《利他，最好的利己》卻不太一樣，很多讀者反應《利他，最好的利己》的內容在面對困境的經驗方面更具啟發性。

這本書後來也在大陸出版，造成很大的影響，不只是對大陸的聯想公司等企業有參考價值，只要是真正有心經營企業的人，無論是在海峽兩岸，或是其他地區，都可以參考我的書。這些年來，我不斷收到來自各國讀者的好評和反應，正說明了這一點。

我的書對讀者的影響，在啟蒙方面的幫助不見得特別大，而是我有一些企業成長經驗可以供他們參考，像是面對

困境或迷失的時候，他們碰到很多問題，例如空降部隊、成長的痛苦等問題，《利他，最好的利己》都有談到。

當然，企業的問題多如牛毛，同樣一件事情讀者百思不得其解，我提供的只是一些點子、一些參考，可能也不見得適合他們，但至少他們讀了心有戚戚焉，有些人或許因此得到啟示，想到解決問題的方法。

有些讀者碰到問題時，本來覺得很洩氣，可是看了我的書之後，就會覺得其實沒什麼好洩氣的，碰到問題好像是很自然的事，因為我也是這樣走過來的，這就是《利他，最好的利己》的價值。

《利他，最好的利己》出版的同時，也出了英文版，我把英文版免費放在網站上，宏碁基金會也印了一些送人。東海大學外文系還徵求我的同意，把英文版做為他們的課外讀物，因為外文系讀的都是文學，並沒有其他領域的英文書。

有些讀者看了網站上英文版的《利他，最好的利己》之後，寫電子郵件給我，肯定這本書的內容，到今天我都還常常接到這類電子郵件。我的讀者有很多是來自東南亞，美國也有，對於開發中國家想創業、或是讀MBA的人，這本書對他們特別有幫助。

除了中文版和英文版，《利他，最好的利己》還出了泰文、巴基斯坦文、印尼文、日文等版本，到現在我都還會收到版稅，我把版稅都捐給了宏碁基金會。

我在《利他，最好的利己》裡所談的內容都是針對台灣的需要，不過其中很多內容其實講出了所有年輕人的心底話，所以很多開發中國家的年輕人也都認同，只是他們沒有

信心，也毫無經驗。

他們的老師可能會說這個是對的，但是老師自己沒有實際經歷過，媒體也告訴他們應該怎麼做，這些方向大家都知道，只是都不敢走，或是走不出來。然而，我在書中告訴他們，我也常常迷失，不過我後來走出來了，當中的道理是什麼，這就是《利他，最好的利己》最大的參考價值。

▋ 三大主軸與創新思維

在《利他，最好的利己》裡，我提出很多新思維，尤其是微笑曲線，還有三大主軸，也就是「全球品牌、結合地緣」、主從架構、速食店產銷模式。

雖然現在宏碁已經改變策略，三大主軸的做法都經過修正，但是我可以保證，這些突破性的思考方式和做法，仍然可以應用到別的產業、別的時機、別的地區。如果能夠掌握這些新思維的精髓，就可能在別的產業、別的時機、別的地區創造這些新思維的價值。

在三大主軸當中，「全球品牌、結合地緣」是國際化的基本心態，跟我1989年在總統府演講時談的科技島與世界公民，以及我現在談的國際化管理、當地化，都是一致的。結合地緣是對的，但當時執行得過度徹底，徹底到失去控制。

最主要的問題在於當初我談結合地緣時，曾提到當地股權過半（local shareholder majority），也就是要變成當地的公司，可是變成當地公司，並且在當地上市之後，例如在新加坡、墨西哥上市，雖然做到了結合地緣，但是各地區各自為

政，無法達到經濟規模，也沒有集中採購的力量，成本無法降低，而現在的企業競爭是全球性的，要靠規模競爭，所以我們不得不改弦易轍。

主從架構的很多做法實際上現在都還有用。1998年準二造時，我們曾想把主從架構改為iO聯網組織架構，但是到了2000年二造時，我們發現，理論上聯網組織的理念尚不成熟，主從架構還是較易實施。

聯網組織不能貫徹執行的原因，在於最關鍵的組織協定（protocol）。網際網路之所以威力強大，就是因為標準化的TCP/IP通訊協定，但組織是人，人不像電腦那麼聽話，所以我雖然訂了一些協定，但是最終都沒辦法根據那些協定來執行，所以聯網組織後來還是不很成功。

現在的次集團是主從架構，泛宏碁集團（注1）是非常鬆散的主從架構，但其中還有聯網組織的味道在裡面，只不過可能各自為政的層面更大，互相配合的層面較少而已。

至於速食店產銷模式，其實跟我們現在採行的「新經銷營運模式」目標是一致的，兩者的主要目的都是盡量快速推出新產品，並降低庫存。

速食店產銷模式在實施初期只有少數幾個裝配廠，我們有足夠的優秀人才管理，品質沒有問題，庫存管理也沒有問題，所以很有成效。但是後來發展到三十幾個裝配廠，一方面沒有足夠人才管理，另一方面庫存也變多了，所以速食店產銷模式的策略後來失敗了。

《利他，最好的利己》還提出了微笑曲線，我很高興現在國際上時常有人引用微笑曲線，也希望這樣一個簡單的說

明，能夠對長期經濟的發展，尤其是知識經濟發展的方向提供一個基礎。

簡單的說，微笑曲線的左邊是研究發展，中間是製造，右邊是行銷，其中以製造的附加價值最低。

現在還有很多國家的政府在發展經濟時，是從微笑曲線的中間部分開始，當然，這主要是為了增加就業人口，也是不得不然的做法；但是，如果以為這麼做就是經濟發展，而沒有往上升級的想法，就會產生問題。

微笑曲線至少提供企業界一些產業發展的方向，實際上，很多資訊電子以外的產業都已經認同應該向微笑曲線的左右兩邊發展，例如農業、紡織業等。

台灣目前這個階段，已經過了以製造為經濟發展主軸的時候；大陸目前還是以製造為主力，但是他們實際上已經很積極要往左右兩邊發展了，例如他們對於高汙染的產業並不歡迎，同時全力發展高新科技。

落實公司治理

《利他，最好的利己》出版後的第二年，也就是1997年，剛好碰上亞洲金融風暴，我在書中提到財務結構的那些理念，可說是事先對金融風暴提出了預防之道。當時我提出的理念包括適當的自有資金比例、財務獨立自主。

此外，我在創業之初，就曾與創業夥伴達成三項共識（請參閱《利他，最好的利己》第58頁的「約法三章」），其中之一就是，雖然我和我太太擁有公司一半的股權，但是我

的決策仍需經由其他創業夥伴過半數的同意才算數。這麼做是為了奠定公司利益高於個人利益的組織氣候，並且宣示宏碁不走家族企業的路線。

我提出的這些理念其實都是公司治理的伏筆，而引發1997年亞洲金融危機很重要的一個原因就是企業沒有做好公司治理。

在台灣，企業進行財務槓桿操作的問題其實並不算很嚴重，因為很多公司上市之後，自有資金的比例並不差。不過，公司沒有太大問題，並不表示個人也沒有問題，因為有一些企業主為了掌控公司而不斷擴張個人信用，甚至拿股票去抵押，借錢來投資，結果個人財務出問題，拖累了公司。

金融危機的很多地雷股公司，財務其實是健全的，但是老闆掏空公司造成問題，公私不分是台灣企業主的大罩門。我經過許多大風大浪，個人的財產起起伏伏，但是我個人和公司的財務絕對公私分明。

▍薪火相傳

《利他，最好的利己》當中也提到了薪火相傳，我現在已經成立自己的網站：「薪傳網站」（www.stanshares.com. tw），提供我在資訊電子產業三十多年的經驗給大家參考。

另外，退休以後我要專心經營中華智融集團（iD SoftCapital，iD 是 Intellectual Development 及 Intelligence Dragon 之意），其實這是我一直沒有放棄的目標 ──「龍騰國際、龍夢成真」，希望華人能夠在國際上揚眉吐氣。現在

如果要龍夢成真，已經不是靠錢了，尤其在知識經濟裡，龍夢成真完全要靠Soft-capital，Soft-capital的中文我用「智融」來表達。

金融事業有幾百年的歷史，智融事業也早已存在，就是顧問業，不過我心目中的智融事業不只是顧問業，應該是一個綜合的東西，結合了創投、基金管理、後育成服務、變革服務等等。

後育成和智融，都是我創造的名詞，我們要從事的是新型態的創投，創投是人家創業之後你再投資，但我要做的是我參與投資之後跟你一起創業，這是一個全新的概念，剛加入中華智融合夥人、原矽谷橡子園（Acorn Campus）創辦人陳五福稱之為「投創」。

我做這些事情都是為了薪火相傳。我的理念很簡單，因為資源很有限，在二十幾年前能夠做出一些成績就算是很大的成就，但現在如果還是只靠自己，做得再辛苦也很難有太大的成績，唯一的方法就是透過很多人的力量和組織的力量，薪火相傳。

我認為成就不必在我，整個台灣的成就，或者比較廣義的說，整個大中華的成就，就是我們的成就。我們當然要在台灣立足，在台灣生根，但是眼界也要放寬，從台灣出發，然後放眼大陸，放眼天下。

我在《利他，最好的利己》裡面講了很多「認輸」的案例，那是進行第一次再造時的經驗，後來我又推動了準二造、二造等改革，有了這幾次經驗，我發現成功的關鍵要素之一還是認輸。每次都是在認輸之後捨棄一些東西，然後才

能解決問題，開創新局，不認輸的話恐怕難有轉機。

例如，打消不良壞帳在美國是家常便飯，在日本就不是，台灣也不是，2001年宏碁一舉打消四十一億元的壞帳，這是台灣第一次有企業進行這麼大規模打消壞帳的行動，可說是開風氣之先，造成很大的影響，其他企業陸續跟進，像是華南銀行打消呆帳一百多億元，這就是認輸才會贏。

二造也是在認輸之後重新找到贏的策略。二造的做法是分割，包括代工和自有品牌的分割，也就是產銷分割，以及在Acer品牌之外另創BenQ品牌。

分割之後的宏碁變得一無所有，只剩下Acer四個字，轉變成一個全新的型態。宏碁如果要在一無所有之中創造價值，前提是個人電腦的硬體生意要能賺錢，所以我們發展出新經銷營運模式。接下來還要創造未來的價值，所以我才成立了價值創新中心。

這些動作在世界上相對來講都是新創的，所以引起很大的注意，例如，很多產業分析師都在詢問我們產銷分割的事情，很想了解為什麼最近很多人在我們之後也開始採取類似的行動，例如裕隆集團也把產與銷分開。

▌眾志成城

《利他，最好的利己》曾經讓許多讀者得到很多啟示，我希望《典範轉移，順勢變革》再度扮演這樣的角色。

宏碁進行第二次再造時，面臨的是原來十倍大的挑戰，因為我們一造時是以整個集團突破十億美元為目標，二造則

是要突破一百億美元，所以二造是比一造還大十倍的克服過程。二造時面臨的產業環境也比一造更為嚴竣。

一造的時候，資訊業的廠商都不賺錢，當時與我們同級的公司現在幾乎都已經不存在了，因為這個產業變化太多，競爭太厲害，經營企業不容易，不只台灣，全世界都面臨這個問題。二造時整個產業更成熟，競爭更甚以往，挑戰也更嚴厲。

IBM成立幾十年之後，到1991年才出現問題，必須進行變革。而宏碁的一造和二造之間相隔約九年，因為宏碁多角化經營，成長得太積極，而且做的很多事情都類似開路先鋒，台灣還沒有人做，在國際上的困難度又比較高，例如自創品牌，以及早期跨入個人電腦、DRAM等產業。

大部分的開路先鋒到後來都變成了先烈，宏碁如果以個別的嘗試來看，也有不少成為「先烈」，所幸也有不少成功之處，所以算總帳下來，宏碁活得還不錯。2003年宏碁公司合併營收為一五七六‧五五億元，整個泛宏碁集團的營收則達到五千四百億元。

歷史不斷的重複，如果不小心，有可能會重蹈覆轍，也有很多人是因為從未經過歷練，所以容易失敗。宏碁很幸運能躬逢其盛，經過很多歷練，而且很多同仁在公司碰到挫折時，仍然願意一起面對挑戰，現在的成績都是大家用心努力得來的。

我在電子資訊產業三十三年，從計算機開始一直做到現在，全世界電子產業大概找不到像我在位這麼久的CEO了，我可以說是全世界電子產業的重要資源，我寫《典範轉移，

順勢變革》留下這一段經驗的紀錄，是一件很有意義的事。

我常常會想，到底宏碁代表的是什麼？有人說，宏碁代表台灣高科技的發展史，代表年輕人逐夢的過程，也有人說，宏碁代表台灣自創品牌的心酸，代表早期台灣大規模員工入股的一個模式，代表公司治理的新文化。我想，比較不太一樣的地方應該是宏碁代表了眾志成城。

雖然我可能在媒體的知名度比較高，好像我就代表宏碁，但是宏碁實際上代表的是群體，因為宏碁是從分散式管理開始的，訓練了很多人才，代表一個眾志成城的結果。

一般人想要學王永慶可能很難，想要學施振榮比較容易，這不是指個性，而是指經營事業的一些模式。我的個性別人恐怕很難學，例如要享受大權旁落，這個對很多人來說是學不到的，但是宏碁能做到現在的規模，我能大家也能。

王永慶做的都是很大規模的事，他的氣魄和手法恐怕很難有人學得到；張忠謀在台灣積體電路製造公司做的事，除了他恐怕也沒有人能做。但我做的事情都從小開始慢慢做大，我成立明碁（2002年5月，明碁電腦改名為明基電通）、揚智、國碁都是如此，所以我做的事大家都可以學。

我現在因為健康的關係，做事業不能企圖心太大，我的企圖心反而變成透過眾人的智慧或意志來成就社會的發展，我自己則是自得其樂。

■ 變革管理的經驗分享

因此我要講的不僅是宏碁的故事而已，還包含故事的

許多背景，這些想法和道理都是我根據三十三年的產業經歷和推動兩次企業再造的經驗而產生的，因此，寫這本書的時候，我用「變革管理」來貫穿這些經驗，不像《利他，最好的利己》的做法比較簡單，按照時間順序來鋪陳。

我相信，即使經過十年、二十年再來看本書的內容，仍然會有參考價值。不過，我絕對反對別人完全按照我書上的內容如法炮製，我甚至可以斷言，那麼做恐怕注定會失敗。

我經歷過全球電子產業那麼多的變化起伏，深深了解成長是有極限的，產業的內外在環境都會改變，企業若要永續成長，持續創造價值，就絕對不能墨守成規，必須果決的進行變革管理。

因此，在接下來的章節裡，我將會先描述宏碁在 2000 年年底推動的第二次企業再造，宏碁如何根據簡化、專注、前瞻三大原則，大幅調整組織，重新分配資源；經營多年的自有品牌，如何在歐洲市場揚眉吐氣，在美國市場終於轉虧為盈；分家後的緯創和明基未來的發展方向。

談完宏碁的二造之後，我將深入探討企業經營的一些重要課題，首先是本書的主軸，也就是變革管理。進行變革管理的目標是為了創造企業的價值，因此接下來我會探討創造企業價值的方法和手段，包括品牌價值公式、價值創新中心、微巨服務、人才培育、企業文化、財務管理、公司治理等，同時也將進一步闡釋微笑曲線。

以前宏碁在業界獨領風騷，所以曾經有一陣子，報社記者常被主管抱怨怎麼所有的消息都是宏碁。產業發展的初期總要有人唱獨角戲，但是如果一直都只有宏碁唱獨角戲，就

表示產業的發展不太健全。所幸到了今天，台灣高科技產業已經變得更多元化，有很多優良廠商一起來參與，而不是只有宏碁，這樣的發展比較健全。

在我三十三年的產業經歷中，得第一對我來說是家常便飯。例如，宏碁在1998年躍居全國製造業規模最大的公司，曾經是全國進出口金額最大的公司，也曾經是全國高科技產業裡專利最多的公司，宏碁一家公司的專利數就超過所有其他公司的總和，宏碁也得到第一屆、第二屆國家發明獎。

宏碁有太多得第一的輝煌歷史，但是我並不會念念不忘曾經得到過的第一，那些都已經過去，重要的是現在和未來，未來還有值得努力的空間。

快樂退休人

雖然我在寫這本書時還不確定到底應該用什麼形式退休，不過我想我應該是一個快樂的退休人，這在全世界是少有的。我希望這一年沒有什麼重大的問題，在企業處於階段性的巔峰時急流勇退，這是很多企業家的心願，但是真正能夠做到的人並不多，我可以做到，當然會很快樂。

2003年我獲得「推廣台灣國際品牌特別貢獻獎」，在致辭時提到，我能夠這樣快樂的退休，一定要謝謝KY（李焜耀，當時擔任明基電通董事長）、JT（王振堂，當時擔任宏碁總經理）、Simon（林憲銘，當時擔任緯創資通董事長）。我也要謝謝蘭奇（Gianfranco Lanci，當時擔任宏碁國際營運總部共同總經理）；尤其，蘭奇這個外國人，是宏碁的關鍵

人物之一，在他的領導下，宏碁筆記型電腦在歐洲的銷售量屢創佳績。因為這些人把分內的事情做好，我退休時就不會有很大的遺憾。

當然，世界上沒有十全十美，還是會有些小遺憾。例如，宏碁的個人電腦在台灣是第一名，固然值得欣喜，但是筆記型電腦在台灣並不是第一名。不過我知道大家都已盡力，所以不忍苛責，只是偶爾用開玩笑的語氣說，宏碁的筆記型電腦在主席的故鄉台灣不是第一名。

2003年宏碁在歐洲市場告捷，2004年更上一層樓，宏碁整體個人電腦的銷售量在第二季位居全球第五，筆記型電腦出貨量則在西歐首度打敗惠普（HP），位居第一位。大中華市場和美國市場也努力耕耘，自有品牌會有全面性的發展。

又如緯創，進入設計製造代工領域，起步太晚，面臨的對手太強，經營得比較辛苦。雖然分家之後，緯創是三大集團中最晚看到成果的，但是緯創經過積極努力，2004年會有高度成長，應該可以真正站穩腳步。2004年三大集團全都有高成長，我可以說是沒有什麼遺憾了。

■ Me too is not my style

我很早就決定六十歲要退休，希望能夠有一個完全不一樣的退休方式，因為我一直強調「Me too is not my style.」（跟隨並非我的風格）。高教授邀請我寫這本書的時候，我還沒有想清楚退休時要怎麼做，但至少這本書應該可以當作我退休前的重要獻禮之一。

　　我退休的形式一定要有意義，而且希望能有一點示範作用。我要做一些年輕人或其他人想做而不敢做的事，不過並不是像國父革命那種風險很高的事，我不做風險太大的事。

　　現在媒體這麼多、資訊這麼多，大家對事情都有一些自己的想法，但是有時候因為客觀環境不能突破，所以做不到。像我談人性本善的時候，公司裡的人當然都很高興，但是旁邊所有的人都勸我風險太大，不可能做到，所以反而是環境的問題。

　　在這麼多元化的社會，我做的事情不會跟別人完全一樣，如果每個人都做一些不太一樣的事情，整個社會就會一直往創新的路上走。正確的、好的創新對社會的活力很有幫助，所以連退休我也要創新。

　　我這三十三年的產業經驗，對自己已經算是交差了，而且還留下一個企業集團讓大家能夠繼續發展。寫書則是進一步貢獻我的經驗，讓千千萬萬人參考，書中的內容絕非紙上談兵，都是可以真正應用的。

　　我相信我寫的書都可以有很長的壽命，當然我不會期待我的書像古典名著那樣流傳百世，這並不是我的目標，我只是從人生的價值這個角度來看，希望能夠留下一點東西，做為很多人的參考，這才是真正的價值所在。

注1　「泛宏碁集團」這個名詞在我退休後將走入歷史，有媒體因宏碁、明基、
　　　緯創（Acer、BenQ、Wistron）三個集團皆源自同系，而以「ABW家族」
　　　稱之。

CHAPTER 1

ABW 家族新貌

敢認輸，才能贏。
然而，什麼時候應該認輸？
什麼時候需要企業再造？
怎樣變革會最好？
諸如此類的問題，
源頭還是在領導者的智慧。

二造宏碁

二造宏碁時，
全球出現許多整合和併購行動，
變成大者恆大，
競爭愈來愈激烈、利潤愈來愈微薄。
針對這個課題，
我們採取「三一三多」的策略來因應。

2000年12月26日，宏碁集團正式對外宣布企業重大轉型計畫，這是宏碁繼1992年之後，第二次啟動企業再造工程（二造）。二造的主要內容是取消五個次集團，整合重複投資的事業，強調專注、簡化、前瞻，並將宏碁電腦切割為研製服務（design manufacturing services, DMS）與品牌營運（Acer brand operation, ABO）兩個專注事業（表1-1）。

▌ 二造的背景

宏碁進行二造的背景包括內部和外部的變化，其中內部的問題不亞於外部面臨的衝突。

外部的變化主要是整個產業的大規模化，全球有很多整合和購併的行動，使得大者恆大，造成競爭愈來愈激烈，利潤愈來愈低，這一點二造和一造的情況相似。

一造時，由於康柏電腦（Compaq）一下子降價30％，使得電腦產業的大環境從高利潤變成低毛利，但是當時企業委外製造的做法還不普遍。

到了二造時，企業已經開始外包，而且由於當時的產業競爭更激烈，有很多大型企業進一步推動更大規模的外包，結果造就了美國專業電子製造業（electronic manufacturing services, EMS）的高度成長，以及台灣專業代工廠商如廣達、仁寶、英業達、華宇等公司的大幅成長，相對的，品牌和代工並存的宏碁在競爭力方面就漸漸不如專業代工廠商。

此外，在台灣專業代工廠商逐漸崛起、茁壯的同時，宏碁卻忽略了情勢的變化，反而隨著外界的潮流積極投入網際

表1-1　宏碁兩次再造工程

	一造（1992年）
再造前的情況	1991年底宏碁發生歷來最大幅度虧損，金額高達新台幣六・○七億元，超過預期。
再造原因（外部因素）	電腦業新競爭對手出現，台灣主機板廠商和全球各地進口商聯手形成相容電腦的組裝聯盟，從統合模式（integration mode）走向分工整合模式（disintegration mode），挑戰舊的系統廠商，包括宏碁。
再造原因（內部因素）	宏碁經過十幾年的順利發展，背負著快速成長帶來的沉重包袱，包括：資金太多引起的「大頭症」，組織大而無當造成「肥胖症」，缺乏憂患意識的「安樂症」，反應遲鈍的「恐龍症」，權責不分的「大鍋飯心態」。
變革內容	• 暖身：1989年11月推動「天蠶變」，談到組織扁平化、人力加油站等概念，將組織更改成多利潤中心。1991年執行勸退計畫，精簡人員。 • 1992年的再造 —— 理念：全球品牌、結合地緣。組織：採用「主從架構」的分散式管理。流程：速食店產銷模式。
再造成果	營收和獲利都高度成長。 1993～1995年每年的營收成長率依次為51%、69%、81%；利潤成長率依次為2,436%、207%、72%。
	二造（2000年年底）
再造前的情況	準二造時劃分五個次集團的做法造成資源分配不均，使得宏碁的成長幾乎停滯不前，獲利不理想，靠出售長期投資有獲利的股票度日。
再造原因（外部因素）	• 個人電腦產業的競爭愈來愈激烈，產品的售價和利潤進一步下滑。 • 產業的大規模化，加速大企業將推動外包，台灣的專業代工廠商趁勢崛起，競爭力超越品牌和代工並存的宏碁。 • 網路公司盛行，宏碁跟隨潮流積極投入網際網路事業，後來網路泡沫破滅，宏碁也受波及。
再造原因（內部因素）	• 自有品牌和代工並存，使得管理複雜度增加，資源和經營互相衝突。 • 自有品牌在歐美無法建立獲利的運作模式。 • 五個次集團過度擴張，形成重複投資。

變革內容	● 組織改造：將集團內公司的版圖重組，讓品牌和代工分家，劃分為研製服務事業（DMS）和品牌營運事業（ABO）。 ● 營運模式的改造：採行「三一三多」策略，三一是指單一公司、單一品牌、單一全球團隊，三多是指多供應商、多產品線、多通路。 ● 流程的改造：採行新經銷營運模式。
再造成果	ABW家族營收：2002年四四四三億元 　　　　　　　　2003年五四一一億元 　　　　　　　　2004年預估七千五百億元

注：1998年的改變不能算是企業再造，應該可以說是「準二造」，當時宏碁並未面臨重大危機，也沒有重大改革，只是按照既有的發展方向，順勢調整，為施振榮六十歲退休前逐漸交棒而鋪路。當時的主要做法是調整集團組織架構，劃分為五個次團體：宏電集團、明碁集團、宏科集團、宏碁半導體集團、宏網集團。

網路事業，後來網路泡沫破滅，宏碁也遭受波及。

　　至於內部的問題，是因為宏碁的自有品牌與代工並存，結果引發內外部的衝突，並且造成管理的複雜化。

　　對外，宏碁的自有品牌和代工客戶之間產生衝突，尤其二造時大型企業外包的趨勢盛行，客戶自然優先下單給不會造成品牌衝突的專業代工廠商，宏碁不容易接到大訂單。

　　在內部則引發產、銷之間的衝突，銷售情況不好時，銷售部門指責產品沒有競爭力，產品部門則推說行銷不力。也就是說，SBU（strategic business unit，策略性事業單位，掌管研發、製造）跟RBU（regional business unit，地區性事業單位，掌管地區行銷）之間互相怪罪，責任很難釐清。

　　1998年準二造時，我們把SBU和RBU整合為GBU（global business unit，全球事業單位），試圖解決兩者之間的衝突，雖然略有成效，但是自有品牌和代工並存的根本問題仍未解決，內部複雜的衝突造成企業競爭力衰退。

　　自有品牌和代工的性質不同，使得管理的複雜度增加。

　　如果從事代工，經營績效的出入不會像自有品牌那麼大，差別只在於產品是否領先，產品領先就賣得好，產品沒有競爭力就不好賣，如此而已。所以成長很快時就多賺一點錢，做得不好就少賺一點，並不會虧太多。

　　就像緯創現在專心做代工，外界說緯創到目前為止做得還不夠好，是指緯創本業尚可小賺，但2004年第三季因菲律賓蘇比克灣廠房菲幣多年來貶值，一次認賠而產生虧損。

　　經營自有品牌則是屬於大起大落的情況，做得好就大賺，做得不好就大虧，像IBM就曾大虧過，戴爾（Dell）則是大賺。

▌自有品牌與代工兩面作戰

　　自有品牌之所以虧損，通常有兩個原因，一個是產品競爭力，一個是行銷當地的管理，尤其後者的影響很大，因為庫存管理失控及管銷費用太高。其實宏碁推行一造跟二造幾乎都是為了處理品牌虧損的問題。

　　宏碁推行二造時，等於是陷入兩面作戰。由於前述的內外部因素，宏碁一方面因為本業虧損，所以自有品牌的未來受到外界質疑，造成宏碁的股價不振；另一方面，代工的規模被其他專業代工廠商趕過，競爭力削弱。

　　兩面作戰都不知道勝算何在，加上1998年準二造時劃分五個次集團的做法造成資源分配不均，結果宏碁的成長幾乎停滯，獲利不理想，必須靠出售過去轉投資成功的公司股票度日，就是在這樣的客觀環境下開始進行二造的。

▋ 三大原則下的三大策略

　　宏碁進行二造時，根據簡化、專注、前瞻三大原則，推動三個層面的改造，採取三大策略，包括：

　　一，組織的改造，將集團內公司的版圖重組，讓品牌和代工分家；

　　二，營運模式的改造，採行「三一三多」策略；

　　三，流程的改造，採行「新經銷營運模式」（new channel business model）。

　　簡化、專注、前瞻這三大原則很重要，尤其是簡化與專注。分心是常態，經營事業一不小心就會分心不專注，想要多做這個、多做那個。分心就會複雜化，多做一個就多複雜，一個人能做的事情變成兩個人來做也會複雜化，人性就是如此。所以必須把簡化、專注變成一個很主軸的訊息，做為未來所有思考、策略執行的最高指導原則。

　　根據簡化、專注的原則，二造時整個集團的組織架構做了大幅度的調整。當時問題的癥結主要在於品牌和代工並存的衝突，否則以宏碁的研發能力和人才來看，素質並不輸給其他公司，甚至優於同業，因此自有品牌和代工勢必要分家。

　　另外，1998年準二造時，順應當時集團既有的發展方向，劃分為五個次集團，包括宏電集團、明碁集團、宏科集團、宏碁半導體集團、宏網集團。後來我們發現這種分割的方式不太理想，造成次集團的版圖分配不平衡，集團組織必須重新調整。

　　五個次集團當中，必須放棄半導體和網路這兩個次集

團。半導體集團的旗艦公司德碁半導體由於技術無法取得市場領先地位，在產業環境丕變的情況下造成巨額虧損，後來改由台積電接手，半導體也不再屬於核心事業（請參閱第二章〈淡出半導體〉）。

至於網路集團，準二造時網路公司主宰了整個市場，被視為未來的主流，我們根據外界的主流想法發展網路，結果網路泡沫破滅，我們也不成功，二造時就把宏網轉為非核心事業（請參閱第三章〈網路事業轉型〉）。

其餘三個次集團（宏電、明碁、宏科）雖然保留，但是宏電和宏科必須重組，使得各自擁有的資源和發展機會能夠相符。

▌各次集團所面對的管理課題

準二造分成五個次集團，等於是我針對每個集團的經營團隊各出了一個管理題目，我也出了一個題目給自己作答，那就是我負責的半導體集團。要出題目，首先應該選擇台灣產業必須找到好答案的題目，也是可以創造價值、有意義、有挑戰的題目。其次，這個題目必須是有可能考及格的，我們的成績必須達到七十分以上。

要選一個能夠讓各集團考及格的題目，就牽涉到自我評估，也就是要合理評估自己能力的多寡。可是後來我發現，我交給他們的題目、我自己挑戰的題目都必須調整，因為有的題目太難，有的卻又太簡單，與每個人的能力不相配。

當時王振堂只管宏科，但是他的能力超過他只管宏科的

責任，這就是題目太簡單。林憲銘的題目則是太難了，RBU和SBU合併成為GBU之後，都由林憲銘負責，責任太重，必須調整。雖然花了一點時間溝通才形成共識，不過林憲銘自己很了解這一點，因為形勢就是如此，大家也都有共識。

至於李焜耀負責的明基，從成立之初就採取與宏碁不同的發展模式，明基以代工起家，靠製造能力奠定發展基礎，不同於宏碁強調自有品牌的做法。明基早已獨立發展多時，多年來累積的能力、資源能夠和業務目標相配，所以一直都發展得不錯。

▋ 準二造的挑戰

準二造劃分五個次集團之後，王振堂經營的宏科賺錢，李焜耀領軍的明基也賺錢，但是我負責的半導體和林憲銘負責的宏電虧損或不很賺錢。

表現不佳的癥結，出在準二造時選錯考題，因為各次集團的版圖分割、資源分配都不理想，無法奠定未來發展的正確基礎，所以二造就要改考題。

我並不是隨便更改考題，而是根據微笑曲線，來看哪裡有價值，選擇一個有價值、有挑戰性、能夠獲得大家讚賞的題目。

如果選錯題目，努力考及格了，別人卻不認同，結果就是白費功夫。像宏碁在二造之後專注自有品牌，不再兼顧代工業務，題目變單純了，現在宏碁的品牌在國際揚威，營收和獲利大幅成長，我在自有品牌這個考題上就算及格了。

如果要改考題，首先自有品牌和代工必須分家，也就是說，宏碁和宏科必須重組。

走回原來的路

自有品牌是以經營品牌的基礎最穩定、人力相對掌握度最高的宏碁科技做為主體，因為我從1981年開始，就透過宏科，在台灣經營自有品牌，無論在經銷網、管理制度等方面，都已經打下很好的基礎。

後來，宏科再併入宏碁電腦經營自有品牌的品牌營運事業，成為新的宏碁公司，由宏科總經理王振堂擔任新宏碁的總經理。

新宏碁的核心事業有三大塊，第一塊是資訊產品，第二塊是資訊服務，第三塊是通路。把製造全部外包的新宏碁，將轉型為行銷服務的公司（表1-2）。

我在1976年創立宏碁時，就是只做貿易、研究發展和自有品牌的行銷，將絕大部分的製造外包。1981年推出「小教

表1-2　舊宏碁 vs. 新宏碁

	舊宏碁	新宏碁
業別	製造業	服務業
環境	資訊時代	知識經濟時代
企業文化	科技創新	用戶導向
使命	微處理機的園丁	知識經濟的先鋒

授一號」電腦學習機就是初期的代表作,當時「小教授一號」絕大多數委由台達生產,台達製造得非常好,我們不必煩惱品質的問題,可以專心開拓市場。

以微笑曲線來看,早期宏碁的左邊(研展)很強,右邊的行銷在台灣也算是很強,1981年在新竹科學園區設廠,才開始有微笑曲線中間的製造。照這樣看來,新宏碁調整了半天,等於是走回1980年代的老路。

回顧歷史,還有一些很有趣的巧合。當年我們的研展實力很強,「小教授一號」其實並不是我們最早的作品,我們設計的第一個大量外銷產品的客戶是誠洲電子。

林百里(現任廣達電腦董事長)也委託宏碁設計家用電腦,時間大約是在1980年,當時林百里還在金寶電子任職。林百里的技術能力雖然很強,但是只靠他一個人不夠,而當時全台灣能夠設計電腦的人只有我們這個團隊,所以他就委託我們設計。

1990年代初期宏碁要做筆記型電腦,一開始就是找廣達替我們代工設計、生產一款膝上型電腦,後來這個產品並不成功,不過對照之前宏碁替廣達設計家用電腦,多年之後角色互換,這樣的變化實在很有趣。2000年宏碁二造改採多供應商策略,除了緯創之外,第一波向外尋求的供應商就是廣達和仁寶,歷史似乎一直在重複。

▓ 集團重劃分,資源重分配

宏電的品牌營運部門獨立併入宏科之後,宏電原先屬於

製造的研製服務事業（DMS）也獨立出來，併入為了配合分割而已先成立的緯創資通，成為專業的設計代工公司，由宏電總經理林憲銘擔任緯創董事長，緯創集團旗下的轉投資公司還包括建碁、啟碁、連碁等。

第三個集團是以明基電通為主體，總經理仍是李焜耀，我擔任董事長，到了2002年我才交棒給李焜耀，由他接任明基董事長。明基已經獨立運作多時，所以自成一個集團，旗下還包括友達、達信、達方等公司。

在這三大集團之外，還有一個屬於總部的經營暨管理事業（holding and investment business，簡稱HIB），掌管集團的轉投資事業，獨立出來之後就是中華智融集團，也是我從宏碁退休之後要專心經營的事業。

二造將集團重新劃分之後，資源重新分配，而且把每個人的題目變簡單，符合簡化、專注的原則。以宏碁來說，目前的短期營運項目由王振堂專注去做，我只抓大方向和重點，並且花較多心思思考公司未來發展。

為了公司的長期發展，不得不多元一點點，不能都是硬體，也要有一些軟體和服務，但是軟體和服務都是未來式，如果要跟現在的業務混合在一起做，就會造成經營沒有效率，所以屬於未來的營運項目王振堂不能分心去做，這都是簡化、專注，主要是為了執行力能夠貫穿。

▊ 共用品牌的衝突

新的組織劃分解決了代工和自有品牌的衝突之後，又

面臨宏碁跟明基共用品牌的衝突。明基在2001年年底改用BenQ品牌之前，產品用的是Acer品牌，公司名稱則是Acer CM（communication and multimedia，通訊和多媒體）。以前宏碁的規模比較大，所以是以宏碁為主，明基為輔，明基借重宏碁的力量來銷售。

但是隨著宏碁和明基的規模都愈來愈大，甚至明基的製造實力和規模都已經成長到比宏碁還要大的時候，明基就發現他們處處受制於宏碁的銷售單位。

因為宏碁往往不是把明基的產品當作獨立產品來銷售，而是賣宏碁的產品順便賣明基的產品，例如賣電腦順便賣監視器。此外，明基的產品線很多，但是銷售單位總是比較習慣賣熟悉的產品，因此難以照顧到明基的每一項產品，無法滿足明基的需求。

從宏碁的角度來看，也不滿意跟別人共用品牌。Acer這個品牌要分給很多家公司的產品來用，打仗時大家都宣稱自己是Acer，好的產品也叫Acer，弱的產品也叫Acer，Acer就沒有很精確的定位。而且一個品牌很難照顧到每家公司的每種產品，所以明基總是不滿意。

因此，王振堂很早就對李焜耀說，既然明基認為宏科做不好，那就乾脆放手給明基自己管行銷。

宏碁早在二造之前就已經陸續放手了，最先實施的就是台灣和大陸，宏科在這兩個地區並不是明基的獨家代理，但是其他地區依規定只能透過各地區的RBU來賣（台灣地區就是宏科）。

不過，同一個品牌由不同的公司來管，一定會有衝突。

為了解決這個問題,在宏碁分割、宏碁自有品牌與宏科合併的事宜敲定之後,接下來我們所有的精神都放在如何利用Acer一個品牌同時賣宏碁跟明基的產品。

這件事協調了很久,主要參與協調的人就是我和王文璨,王振堂跟李焜耀也不斷開會,規劃一些準則。但是這些準則都無法落實,我們很快就發現,與其共用一個品牌造成衝突,還不如另創品牌。

2000年年底我們正式宣布進行企業再造,2001年的第一季和第二季都在協調宏碁和明基如何共用品牌,在第二季我們就決定明基要另創品牌。2001年12月明基正式對外宣布自創品牌BenQ,公司的英文名稱也由Acer CM變更為BENQ Corporation。隔年5月,公司的中文名稱由「明碁電通」改為「明基電通」。

▓ 組織分割與品牌分立的執行問題

宏碁跟緯創的分割,以及Acer和BenQ品牌的分立,都像是連體嬰的分割,只是公司的分割是有形的,品牌的分立比較是無形的。無論是有形還是無形的分割,難免會有衝突,都需要時間調適。

自有品牌和代工的性質迥異,因此宏碁跟緯創的分割看似明確,但在執行時還是難免有問題。

以人的分配來說,研究發展和品管的人理應留在緯創,但是宏碁雖然不做製造,還是需要懂研發和品管的人,因為他們要把製造外包必須訂規格,對外採購也要懂品管,那麼

研發和品管的人要如何分割？好的人才兩邊都想要，應該由
主管決定怎麼分配，還是由員工自己選擇？這種有關人員和
財產分配的問題很多。

　　產品供應的問題更麻煩。以前宏碁都是由緯創負責供
貨，分割之後宏碁打算對外採購，增加其他的供應商，緯創
心裡就不是滋味，而外面的供應商也會有疑慮，不確定宏碁
是不是會長期採購。

　　此外，過去宏碁和緯創是同一家公司，要求自己人的
品質比較不容易，要求別人就容易多了，因此分家之後，宏
碁對緯創的品質要求更嚴格，一時之間，緯創的心裡很難調
適。還好這只是過渡期的情況，現在已經調適得好多了，產
品品質和服務都達到一流水準，更勝於競爭者。

　　品牌的分立，也需要調適期。針對可能出現的爭議，宏
碁和明基原先已經談好處理原則，但是實際執行時，為了維
護自身的利益，各自站在自己的立場，衝突還是難免。

　　明基使用Acer品牌整整十年，在市場上已經建立了一些
基礎，轉換到新品牌的過程中，多少會有一些衝突和誤會。

　　例如，當初宏碁同意給明基一年的時間，讓他們向市場
說明BenQ原來的品牌名稱是Acer，但是傳到後來，有些人
以為所有Acer品牌包括宏碁的產品都要改為BenQ，Acer要
消失了。又如剛分開的時候，明基的監視器都收回去自己
賣，結果宏碁沒有監視器可賣。此外，經銷商要如何分配，
也有問題。

　　這類衝突在2002年最多，2003年開始慢慢減少，到2003
年下半年就已經沒有什麼衝突了，品牌分立的整個過渡期大

約是兩年半。

▓ 新宏碁的內憂外患

二造把泛宏碁集團分為三個集團之後，王振堂面對的挑戰最大。明基獨立運作已久，一直都是賺錢的，當然沒有問題。緯創的挑戰雖然很大，但問題比較單純，只是競爭對手強勁而已，生存不是問題。

王振堂面臨的則是能不能生存下去的問題。他本來領導宏科，業務範圍是三人當中最小的，只有台灣和大陸市場而已，新宏碁成立後，他的責任突然加重很多，而且問題一大堆，可說是內憂外患。對內而言，宏碁跟緯創和明基都各有衝突，在外又有一堆「藩王」，全球各個市場的藩王不僅割地為王，而且有很多海外組織並不健全，需要整頓。

面對內憂外患，王振堂的首要任務就是確立新宏碁的價值觀。原本總公司的心態像菩薩一樣，普渡眾生，不阻止子公司來母公司拿好處，子公司好母公司自然功德圓滿。但是分家後情勢不同了，現在總公司是泥菩薩，自身難保，所以王振堂堅持所有傷害母公司利益的事全都不能做。

也就是說，現在必須以宏碁的利益為優先，所以為了產品要有競爭力，就要外包，不再拘泥於緯創獨家生產，而明基如果要阻擋宏碁，宏碁絕對不能閃躲退讓。

王振堂的挑戰最大，所以二造之後我花最多功夫的地方就是新宏碁，我必須為他排除困難。他的新措施，我全力支持；他決定外包時，我也同意，緯創就比較沒有話說；他跟

明基起爭執的時候，我不能打擊他；他把外地的藩王變成帳內的將軍時，我要出面到海外替他講話。

新宏碁從製造業轉型為服務業，時空環境也不同於以往，所以整個企業文化和價值觀都要改變，這方面更需要我的協助，因為整個宏碁的價值觀和企業文化都是我帶出來的，解鈴還需繫鈴人，所以實際是由我來發動這些改變，只是王振堂必須在場，確認這些改變都是他需要的。

為了配合新宏碁轉型為行銷服務導向的公司，我們在2002年6月22日舉辦了「新宏碁主體意識強化營」，與會的都是處級以上的主管，經過與會主管的深入討論，確立了新宏碁的共同信念是，以服務為榮，以宏碁為傲，同時也提出五項核心價值：獲利、服務、專業、效率、活力（表1-3）。

▌「三一三多」的營運模式

二造在第二個層面的改造就是營運模式改採「三一三

表1-3　新宏碁的共同信念／核心價值

共同信念：以服務為榮，以宏碁為傲。
◆ 獲利：股東利益優先，合作夥伴多贏
◆ 服務：以創新和用心，滿足客戶需求
◆ 專業：強化知識管理，提升競爭優勢
◆ 效率：落實營運流程，有效整合資源
◆ 活力：塑造職場魅力，激發人才潛能

多」策略。「三一」是指單一公司、單一品牌、單一全球團隊，目的是為了集中、簡化、專注；「三多」則是指多供應商、多產品線、多通路，目的是避免受制於人。

「三一」當中的單一公司是指，公司裡面雖然可能有很多子公司，但是所有子公司原則上都是宏碁百分之百擁有的，我們把他們整個視為一家公司來經營，如此才能統一指揮權，不像以前各自為政，鼓勵「21 in 21」（二十一世紀在全球有二十一家上市公司）。

至於單一品牌，以前宏碁除了Acer之外還有很多品牌，例如：AOpen（建碁）、Apacer（宇瞻）、ALI（揚智）等，現在除了明基已經更改品牌之外，揚智、第三波、宏碁戲谷等全都不能再用Acer，並且限期改名。現在不管泛宏碁集團有多少個品牌，宏碁公司就只經營Acer一個品牌。

第三個「一」就是一個全球團隊。雖然宏碁有各個不同的產品事業群，但我們都視為一個團隊，海外的總經理也視為總部的一員，參與總部的決策。我們成立了決策委員會，成員包括各產品事業群的總經理、各地區的總經理、王振堂和我。

這是中央集權式的運作，大家都要按照總部的決策去執行。以前各地區自行決定產品線，採購也是各自負責，現在為了要創造經濟規模，增加談判籌碼，同時也方便管理，所以產品線盡量由中央決定，尤其是筆記型電腦，採購也是集中決定。

解決 ITP 所衍生的問題

為了達成全球是一個團隊運作的目的，很重要的關鍵是把總部變為成本中心，各地區則是利潤中心，而且總部的成本是透明的，各地區都知道。

以前的做法是採取 ITP（internal transfer price，內部轉移價格），總部的 SBU 把成本加上 2%～ 3% 的利潤做為報價，讓各地的 RBU 去銷售。當時的想法是，台灣應該要有合理的利潤，也就是 SBU 要能賺錢，同時各地的 RBU 也要有合理的利潤，才能運作。

由於市場競爭非常激烈，要賺錢很不容易，當地有利潤當然好，打平也不錯，因為當地雖然沒有賺，至少台灣還有賺。如果當地有虧損，小虧還好，因為台灣還是有利潤，若是當地大虧，總公司就受不了。

然而這樣的做法有很大的問題。SBU 的心態是，反正已經有 3% 的利潤，而且如果報價裡再多藏一個百分點，利潤還可以提高到 4%，所以總部沒有壓低成本的誘因；RBU 方面則是缺乏責任感，他們的心態是盡量賣賣看，反正賣不掉可以推說是總部訂的價格太高。全球很多跨國企業也一直很困擾 ITP 的問題。

為了解決 ITP 衍生的問題，我們讓總部成為成本中心，而且成本透明化。我們能夠這麼做有一個很重要的原因，那就是我們在二造之後沒有製造，如果還有

製造，虧損時銷售和製造部門就可以互相推卸責任，很難釐清虧損的真正原因。

　　總部變為成本中心之後，台灣的成本就是各地銷售單位的成本，如果各地區認為總部的成本太高，總部就要想辦法降低成本。如此一來，國際的運作總共只賺一次錢，就是各地銷售單位賺的錢，如果各地虧損，整個公司就虧損。

　　如此一來，創造利潤的責任就完全落在各地區銷售單位的身上，為了鼓勵他們，我們提供足夠的誘因和激勵措施鼓勵他們為公司賺錢。

　　我想出一個辦法，就是用總公司的股票股利做為激勵工具，從2002年開始實施，每季都訂出業績目標，包括營業額和利潤的目標，如果達成目標，就預支未來可能分紅的股票，等於是我知道那一年台灣可以分紅多少，就先預支來發放季獎金。

　　這個措施必須要能長期運作，當作誘因的紅蘿蔔不能一次用光，所以不夠的時候就預支，夠的時候先保留以備日後之用。按照台灣現行的法令制度，要實施這個新措施很不容易，但是為了公司的運作能夠成功，公司內部研究出一套合法的做法。

　　我們採取漸進式的做法，公司承諾發給季獎金的對象都是在前線打仗、開拓業務關鍵的人，原先有資格領獎金的人數較少，然後再慢慢增加。但實際上有

更多的人沒有參與季獎金的發放，這些人還是會有年度分紅，我們在年度分紅時會做整體的考量。

比如說，有一個人每一季領的獎金依序是10、10、15、15，加起來是50，年底分紅再加10，他全年領到的獎金就是60；而另外一人沒有參與季獎金的發放，可是我認為他的表現和貢獻和前述領季獎金的人一樣，在年底分紅時我就一次給他60。兩者的差別只在於，領季獎金的人每一季可以先有獎金入袋。

這個激勵措施的大架構是我提出來的，執行細節則由王振堂負責。這個創新的做法，全世界沒有人做過，所以剛開始實施時，大家都不相信行得通，尤其海外的人更是沒有信心，為了建立大家的信心，大約花了一年時間。

至於「三多」，則是指多供應商、多產品線、多通路。原先除了零件以外，電腦都是單一供應商，也就是由緯創供貨，現在宏碁也會向其他廠商採購。

以前只有緯創一家公司生產，如果產品線太多，管理的效率就會降低，現在改採多供應商之後，產品線可以慢慢增多，變得更完整。

多通路則是希望增加各種不同的通路，除了銷售給企業和家庭的通路之外，也增加全國性和地區性的配銷商、零售商、連鎖商店等，如此才能避免受制於人。

從水平分工到水平整合

二造跟一造的營運模式最大的不同在於分工的觀念，一造時行銷採用水平分工，二造時改為水平整合，「三一三多」策略就是整合。

用微笑曲線來看，一造時的微笑曲線是全面分工，也就是垂直分工、水平也分工。垂直分工是不同產品、零組件和製造的分工；水平分工是行銷的分工，也就是歐洲RBU管歐洲，美國RBU管美國，各自獨立。

二造則不同，二造最重要的是垂直分工、水平整合。宏碁調整組織之前，每個國家的分公司就像是一家獨立的公司，擁有自己的庫存和行銷。二造之後，原先的分公司轉型為單純的銷售據點，全部都集中由總部管理。

我們早在1996年就開始探討水平整合的可能性，當時公司步入成長的末期，已經碰到問題了。因為行銷都是水平分工，所以RBU各自為政，SBU為了服務RBU，所以產品在每個地方是不同的價格、不同的量、不同的機種。

各自為政的RBU採購力量是分散的，沒有經濟規模，所以那時候就討論RBU是不是應該聯合採購、聯合作戰，但是因為當時RBU在新加坡和墨西哥的公司都是獨立上市，所以聯合採購在執行上有困難。

1998年準二造時，把SBU和RBU合併變成GBU，研發、製造、行銷都集中由總部GBU來管，事業部要如何分工、各地區要怎麼整合，都由GBU決定，GBU雖然無法解決所有問題，但是為二造時的水平整合打下基礎。

　　二造時，製造仍是垂直分工，但行銷從水平分工改為水平整合，把原先由各地區決定的產品線和採購等工作，全部集中由總部統籌。後來我也發現，產業的生態多半是垂直分工，水平整合。

　　二造的水平整合還包括把網路相關的業務全部整合在一起，像是元碁、太碁、安碁、華瞻等；另外，宏碁把屬於通路、也屬於服務的第三波及展碁的百分之百股權買下，讓第三波下櫃，展碁放棄上市。所有做品牌的公司，不管是硬體、軟體或服務都叫 Acer，如果是做代理的，都不叫 Acer，但宏碁還是百分之百擁有。這些動作都是在做整合。

　　水平整合可以創造經濟規模，運作比較有效。例如，對同一個經銷商，你提供他很多產品跟只提供一個產品，就客戶管理的核心能力來看是一樣的，同樣需要庫存管理、帳務管理、行銷等能力，所以如果能多提供一些類似產品給經銷商，進行水平整合，這樣的運作比較有效。

▮ 強化庫存管理的新經銷營運模式

　　二造的第三個層面是流程的再造，採取新經銷營運模式，這個模式與品牌的價值有關。我在《利他，最好的利己》裡面曾提及品牌價值的概念，後來在二造時，我為了說明新經銷營運模式而想出了品牌價值公式：「品牌價值＝品牌定位 × 品牌知名度」。

　　二造重新分割組織之後，宏碁可說是一無所有，只剩下品牌，因此創造企業的價值就差不多等於是創造品牌的價

值。根據這個公式，如果要提高品牌價值，就必須提高品牌定位，或是提高品牌知名度。提高知名度並非一蹴可幾，必須從長計議；若要提高定位，又很難定位個人電腦，因此我們必須賺錢，賺錢自然定位就高。

宏碁要賺錢，如果只選擇最重要的一件事，那就是庫存管理。為了向同仁說明庫存管理的重要性，我花了一些時間和他們討論，告訴他們做好庫存管理有兩層意義：

第一層是創造利潤，因為庫存低就可以壓低成本。

第二層意義就是成為提高品牌價值的動力。

做好庫存管理之後，產品就新，再加上將生產外包，產品的品質改善，因此品牌形象會慢慢提升，未來宏碁的品牌價值會比現在提高很多。2003年和2004年經濟部國貿局進行的台灣十大國際品牌調查結果，宏碁排名第三，我想應該很快就會變成第二名、第一名。

此外，個人電腦業賺錢的公司不多，宏碁是少數賺錢的公司之一，所以形象會提高，知名度也隨之提高，兩邊有相乘的效果。

公司賺錢的好處還不僅止於此，我告訴我們的全球經營團隊，雖然以前宏碁的獲利不錯，每股盈餘（EPS）也不錯，但是如果不看其他投資的收益，本業個人電腦其實是虧損的，所以宏碁股價的本益比偏低。如果現在本業能多賺一毛錢，好處不只在於這一毛錢的利潤，也包括因為本業表現好而帶動股價上揚，所以好處是倍數的。

因此，降低庫存成為整個新宏碁最重要的任務。要如何做到低庫存呢？只要不碰庫存，庫存自然就低，所以產品從

供應商直接送到經銷商手中，不經過我們，這就是新經銷營運模式。

有別於直銷與傳統的經銷

新經銷營運模式有兩個意義，一方面表示我們與戴爾的直銷不同，另一方面也有別於傳統的經銷模式。

雖然大家認為直銷才有競爭力，惠普也仿效戴爾加強直銷的布局，但是我們並不打算跟進。因為目前我們在國際上並沒有直銷組織，也不願意投資管銷費用來建立自己的直銷團隊，之前我們因為海外管理能力不足，已經吃過太多虧，所以我死心塌走經銷的路。

此外，目前經銷商方面有一些因素對我們很有利，現階段經銷商已經非常健全，而且有一點供過於求，加上惠普和康柏合併之後積極轉做直銷，在經銷和直銷並存之際，很多經銷商對他們心存顧忌，種種因素之下，我們可以挑選到比較好的經銷商，做為長期合作的夥伴。

因此，我們決定全力支持經銷商，歐洲就是在這樣的客觀環境之下，新經銷營運模式運作得非常成功。

新經銷營運模式的第二層意義就是與傳統經銷做法不同。傳統的做法就是層層庫存，成本也層層加成，造成經銷的成本提高，彈性降低。但是我們的新經銷營運模式改採直接供應鏈的管理，可以使得庫存降到最低，市場反應最快。

所謂的庫存降低是指實際上放在我們這裡的庫存不多，這是因為我們把庫存推向經銷商和供應商。不過，我們不會

推太多庫存給他們，如果推太多，整個供應鏈就無法流通。為了暢通供應鏈，我們還是得做庫存管理，包括我們向供應商承諾採購的庫存，以及經銷商的庫存，雖然這些都不是我們帳面上的庫存，但還是要管。

我們現在是每個月做預測，每個星期調整，每天觀測。也就是說，每個月我都訂一個預算，大概要賣多少部電腦，然後每天觀測經銷商進出貨的情形，無論經銷商的貨有沒有向我們買斷（美國連鎖零售商實際上沒有買斷，歐洲有買斷），只要他們的貨賣不掉，就不會向我們進貨，所以我們必須了解經銷商的庫存。然後根據他們每天賣掉的數量，調整我們每個星期該準備的數量。

至於供應商，我們必須了解我們向他們承諾採購的量還有多少庫存，才能判斷何時應該推出新產品，做一些策略上的調整。

▉ 突破成長的極限

新經銷營運模式實際上只是創造品牌價值的第一個階段，運作成功之後，接下來第二個階段就是發展微巨電子化服務的業務，成立價值創新中心，推動十年關懷工程（請參見第七章〈新世紀的微笑曲線〉）。

企業進行變革，如果方向正確，營收和獲利都會大幅成長，一造和二造都是如此（參見表1-1）。二造的成功，最重要的關鍵就是美國轉虧為盈。美國市場是從2002年5月開始獲利，這是宏碁首度在全球各地區全面獲利。

　　ABW家族成長的力道還在持續，2003年整個ABW家族的營收增加了大概九百多億元，2004年應該會再增加約兩千億元，成長率有機會達到40％（截至2004年第三季，ABW家族營收已較去年同期成長了48％，其中宏碁成長51％、明基成長65％、緯創成長44％）。

　　二造的成果，除了數字之外，還有三個重大的意義。

　　第一個意義是成功建立交棒的典範。如果沒有透過二造的安排，整個集團的交棒可能會有缺陷，不像現在相對而言是比較圓滿的。通常在分家後如果出現很多閒言閒語，就表示分配不均，或者是分家後兩兄弟做一樣的東西，就會產生衝突，至少二造的分配算是比較平均，樹立一個很好的典範。

　　第二個意義就是創造了可以獲利的國際品牌。Acer品牌的成功對台灣未來的國際化發展建立一些信心；當然，另外也創造了運作相當有效的新品牌BenQ。

　　第三個意義是成功的開風氣之先。例如，企業的分割、從製造業轉向成服務業，還有打消壞帳。

　　宏碁創立已近三十年，看過資訊產業的起起伏伏，如果不是兩度推動企業再造，宏碁很難突破成長極限，持續成長。

淡出半導體

宏碁收購德儀筆電部門，

如果只從財務面或區域市場考量，並沒有賺錢，

甚至在美國市場還虧了；

但如果把歐洲的部分納入，就沒有虧錢。

更重要的是，從這段經驗中獲得的技術與人才，

無價。

　　宏碁在第二次企業再造時，把原屬於五大次集團之一的半導體產業轉列為非核心事業，我們投資德碁半導體公司雖然並未達成建立關鍵性零組件能力的目標，但如果以投資報酬率來看，這個投資案算是成功的。

　　宏碁在建立好個人電腦的行銷和生產體系之後，開始往上游走，投入半導體產業，這就是所謂的「倒向發展」。

■「倒向發展」策略：投入半導體產業

　　對於電子業，我一直是採取倒向發展的策略，也就是從下游開始經營，先掌握好市場，然後再創造上游的需求。

　　上游像半導體、液晶顯示器（TFT-LCD）、關鍵性零組件的投資都很大，國際競爭比較激烈，而下游的投資比較小，風險相對比較低，所以初期應該從下游切入。下游如果沒有建立品牌，競爭障礙也會降低，但是無論如何，在基礎較薄弱的時候，還是應該從下游開始。

　　二十幾年前我創業時就是採取倒向發展，當時宏碁的資源比較有限，所以一開始是從推廣微處理機的應用做起，我們自許為「微處理機的園丁」，長期耕耘這個市場，並不需要投入太多資金，這麼做的成本最低。

　　掌握下游的好處在於能夠產生需求，有了需求之後，就可以往上游自己做，以取代進口產品，這就是早期台灣經濟發展採用的進口替代品的觀念。我在1988年決定投資生產DRAM，也是基於進口替代品的想法。

　　早期DRAM的景氣每四年有一個循環，正好每逢舉辦奧

林匹克運動會的那一年，DRAM都會缺貨，直到1996年以後，這個景氣循環的規律才亂掉。

投資帶動半導體產業的火車頭：DRAM

早期每四年一次的景氣循環，似乎總會發生一些狀況，像是1984年全球半導體大缺貨，結果宏碁發生了「318事件」，在竹科的晶片被竊，損失金額高達四千萬元。到了1988年，不只是DRAM，所有的半導體都缺貨。當時，台灣的個人電腦產業正在起飛，廠商苦於拿不到DRAM的貨，就聯合要求政府應該要投資生產DRAM。

國內倡議生產DRAM時，台積電已經成立，對於DRAM的投資，台積電董事長張忠謀本來是不太認同的。張忠謀以前在德州儀器公司（Texas Instruments, TI）擔任半導體業務的總負責人，德儀曾經因為生產DRAM而吃過虧，所以他並不是很贊成台積電做DRAM。

1988年三星（Samsung）董事長李建熙來台灣，他請我、張忠謀和當時的工研院院長史欽泰吃飯，席間他勸我們不要投入DRAM，此外還邀請我們參觀三星，讓我們看看他們的DRAM已經有相當規模，而且那時他們在研究發展上的投資真的很驚人。

李建熙的這些動作，目的是要嚇阻我們進入DRAM產業，偏偏我們三個都是國家使命感很強的人，不做不行。

在當時的情況下，台灣如果沒有自己的DRAM廠，產業發展會受到限制。這牽涉到兩個因素，一個是關鍵性材料的

供應，一個是製程科技的發展。

　　1980年代和1990年代初期，所有半導體先進技術的發展都是靠DRAM來帶動，主要是因為以前沒有什麼先進的產品可以量產，好讓尖端製程技術成熟化，唯有靠DRAM量產才有機會把技術推到最尖端。

　　其實中央處理器對製程的要求也很先進，只是跟記憶體要求的先進技術不一樣，早期由於中央處理器的量不大，所以無法帶動製程的進步，如果要靠中央處理器來帶動，像是IBM的做法，就必須花很多錢，經濟效益不是很高。

　　後來是英特爾改變了這個生態，隨著中央處理器的需求增加，藉由量產的機會帶動半導體製程技術的發展。

　　到了以台積電為首的晶圓代工業興起之後，因為有標準製程，也成為半導體技術進步的另一個火車頭。不過1989年我決定投入DRAM時，台積電才成立兩年，晶圓代工業還不成氣候，遑論帶動半導體技術的發展。

　　當時我考慮到台灣如果沒有DRAM，就欠缺帶動半導體製程進步的火車頭，而且宏碁需要的DRAM足夠支持一個廠，風險應該可以控制，所以就決定成立德碁。

　　當然，我們後來並沒有向德碁採購所有的DRAM，而是一半向德碁買，一半從外面買，所以德碁有一半的產品是銷售給宏碁以外的公司。從訓練人才和提升台灣製程技術這兩個角度來看，德碁絕對扮演過相當重要的角色，而且也賺到了錢。

　　後來德碁走下坡主要有兩個原因，一個是整個產業環境的改變，另外一個是技術合作夥伴德儀公司的技術落後。

　　1996年DRAM不景氣時，四年一個景氣循環的規律被打破，整個DRAM產業陷入比過去還長期的不景氣，對德碁也造成很大影響。

■ 德碁的轉型與沒落

　　之前DRAM的市場時好時壞，景氣差時每一家廠商都虧損，虧到撐不下去了，景氣慢慢就會回升，如此就形成景氣循環，在這個過程中，財力好的廠商撐到景氣復甦，還是可以彌補之前的虧損。

　　我個人的看法是，後來打破這個景氣循環規律的因素雖然很多，但最主要的原因是三星的一枝獨秀。

　　三星大力投資技術，後來在製程上遙遙領先其他廠商，可以把成本壓到最低，其他廠商的競爭力都比不過三星，因此三星少賺的時候，其他廠商都已經開始虧損，而不像以前是大家都虧，然後景氣就慢慢回升。

　　三星的絕對領先讓它賺了很多錢，而台灣DRAM產業整個算總帳是虧本，這是DRAM產業大環境變化造成的。

　　德碁沒落的第二個原因是德儀的技術落後。我早就跟德儀說過，他們的技術落後對我們不利，情勢發展到最後，德儀決定出售全球的DRAM廠給美光科技（Micron Technology），其中只有德碁是由合作夥伴宏碁接手經營。

　　宏碁承接德儀擁有的德碁股票時，我就已經決定要轉型不做DRAM了。但是DRAM的文化和非DRAM的文化不一樣，需要好幾年轉型期，因此我希望利用宏碁對中央處理

器、繪圖晶片等產品的需求，要求美國供應商在德碁下單生產，我們承諾會向他們購買，另外也支付權利金引進IBM最先進的製程。

當時我希望德碁能轉型為會員制的晶圓代工廠，也就是我們選擇幾家IC設計公司做為會員，他們等於是我們的策略性夥伴，我們只對這些會員客戶服務，就像日本索尼（SONY）的IC都委由恩益禧（NEC）和東芝（Toshiba）代工，因為他們不希望交給國外廠商生產。

不過這個轉型實在太慢，經過半年之後，新業務所占的比重仍然不到一成，其他九成業務都還是DRAM，而DRAM又是天天虧本，所以1997年和1998年德碁的虧損都超過五十億元，被媒體列入「五十億俱樂部」的一員，1998年德碁大虧也讓宏電認列轉投資德碁的虧損二十五億元。

當時德碁面臨一個很重大的危機，德碁的投資比宏碁還大，還好宏碁的運作授權得很好，不必我操心，所以我就把全部精神放在整頓德碁上面。

宏碁電腦在新竹科學園區成立了很多年，我平均一年可能去不到兩、三次，後來根本連一、兩次都沒有，但是為了德碁，我每個星期都去竹科、每個月開董事會，也邀請一些非董事的投資者列席，都是為了讓德碁撐下去。

我又找了很多新的投資者，大家因為宏碁的信用，所以願意一起來協助德碁。

我為德碁的轉型負起責任，大家跟我一起承擔風險，不過後來德碁賣給台積電，這些投資者都賺了錢，算是好人有好報。

▉ 台積電接手德碁

在德碁轉型的第一階段，我找了張忠謀合作，1999年6月，台積電宣布買下德碁30％股權，台積電移轉製程技術給德碁，並且負責訂單。雖然當時宏碁的股權比台積電多，但我把主導權交給台積電，由台積電帶領德碁往晶圓代工的方向加速轉型。

如果當時台積電一次買下德碁所有股權，可以用淨值來買，這麼做會比先買30％、再買剩下股權的代價還低很多，不過張忠謀最後還是決定先買30％，後來台積電收購剩下股權是採取換股的方式，用台積電股票來換德碁股票。

台積電收購德碁的動機有兩個，第一個當然是因為當時半導體缺貨，需求很旺；第二個原因則是為了拉大與聯電的差距。

2000年初聯電執行「五合一」，將旗下四家晶圓代工公司併入聯電，結果規模一下子逼近台積電，而台積電希望能與聯電保持一倍的差距，所以就合併德碁，後來又併了世大積體電路。

台積電合併世大時碰到了一些問題，其中一個小問題就是提高收購德碁的代價。其實台積電買德碁股權的價格我已經很滿意了，但是後來他們付給世大的代價太高，所以又調整了德碁的換股比例為1比3.90625，以免與收購世大的價差太大。

這個算是小事情，另外還有一個大問題是大陸最大的晶圓代工廠中芯國際公司因此舉而誕生，其主要經團隊由原世

大總經理領軍，目前中芯的規模仍遠不及台積電和聯電，但是中芯擴張的動作很積極，加上大陸龐大的市場潛力做為後盾，因此中芯的發展值得注意。

中芯於2004年3月17日在美國上市，次日在香港上市，此外，中芯的產能可望在2004年超過新加坡的特許半導體製造公司（Chartered），從全球第五大晶圓代工廠躍升為第三大，未來中芯對晶圓代工業的影響應該會相當大。

德碁失守後的半導體集團

整個半導體產業垂直分工的發展趨勢已經確立，因此當初德碁獲利很好的時候，我們為了有效整合，在1996年成立了宏發半導體科技公司，做半導體測試，又在1998年和台積電合資成立台宏半導體公司，做封裝。加上原先就有做積體電路設計的揚智科技，以及負責行銷的宏碁科技，宏碁集團在半導體產業的投資包括設計、晶圓廠、封裝、測試、行銷，從最上游到最下游都完整了。

原本我們就是希望有一個半導體集團，1998年準二造時將整個集團分為五個次集團，半導體集團就是其中之一。

後來因為旗艦公司德碁失守，我們重新思考半導體集團的未來，除了德碁由台積電接手之外，我們也把台宏賣給股東之一的美商安可公司（Amkor）。

宏發則是很辛苦的熬了很多年，現在逐漸穩定下來，開始獲利。宏發減資再增資之後，成為獨立的公司，不再屬於泛宏碁集團，但是宏發的投資者很多，我們有責任把宏發經

營好，然後再交棒出去。至於交棒的對象，我希望能為宏發找到強而有力的組織做為靠山，避免群龍無首的情況。

靠山有兩個可能性，一個是從事相關業務的集團，宏發屬於他們的核心事業之一，就由他們來主導；另外一個可能性是宏發的運作很成熟之後，把宏發交給我們信任的專業經理人來經營。實際上，我們尋求宏發跟同業合併的機會已經好幾年了，只是大家的情況都不太好，兩個沒有辦法生存的公司合在一起還是沒有辦法生存，所以一直沒有進展，現在宏發開始獲利，就有條件尋求合作的對象了。

▌我對半導體產業的觀察

以整個半導體產業來看，台灣的資本市場扮演很重要角色。德碁並沒有上市，但是後來做DRAM的公司都上市了。台灣資本市場提供很多資金，加上外資也進來台灣，這些資金都在尋求好的投資標的。

其實做內銷的公司並不需要太多資金，做設計製造代工的公司除非要多角化，否則也不需要太多資金，比較需要大量資金的大概就是半導體、液晶顯示器，還有後來的通信服務產業。這些投資都是以百億為單位，投資的成效不一，以通信來說，早期的台灣大哥大、遠傳成功，但是固網和第三代行動通信（3G）都失敗了。

至於半導體的投資，如果算總帳的話，晶圓代工因為是獨到的，所以投資報酬率相對較高，其中台積電最好，其次是聯電。投資DRAM的回收比較不理想，因為一個產業如果

沒有辦法做到寡占，價格就不好，利潤會降低。

台灣的DRAM產業之所以無法做到寡占市場，遙遙領先對手，原因是技術沒有完全獨立。目前全球稱得上真正技術獨立、完整的只有三星跟美光科技，日本的DRAM產業後來因為沒有資金，變成有技術沒有廠，就開始走下坡。德國有技術，可能也有錢可以投資，但是成本偏高，所以後來英飛凌（Infineon）找上台灣的廠商合作。

DRAM產業比較可能採用這種合作模式，因為DRAM是整合性的產品，整合競爭比較有利，不像繪圖晶片等產品的設計和晶圓製造可以分開。

比較一下台灣在DRAM和液晶顯示器這兩個產業的表現，就可以了解取得市場寡占地位的重要性。我曾經見過三星的總經理，三星雖然在液晶顯示器市場上是世界第一，但是沒有辦法像DRAM一樣絕對領先，三星總經理對這一點頗多怨言，因為這就給台灣廠商崛起的機會。

三星的DRAM不僅是技術獨立而已，技術水準在全世界都是絕對領先，規模也遠超過其他對手。DRAM技術領先對成本的影響很大，三星可以大幅壓低成本，假設三星的成本是一百元，我們的廠商是一百二十元，在供過於求的時候，三星就把價格降為一百一十元，那麼成本是一百二十元的廠商怎麼辦？這就是問題所在。

但是液晶顯示器產業就不同，技術領先造成的成本差異不像DRAM那麼大，良率95％跟96％，或者81％和82％，差別只在於材料成本，設備成本也都差不多，所以整體而言並不會造成那麼大的差異，經濟規模的差異也不會像DRAM

產業造成那麼大影響，所以三星無法逼退台灣廠商。也因此現階段台灣各家液晶顯示器廠商不太可能合併，因為大家都能生存。

台灣的DRAM廠無法合併的另一個原因是，已經各自跟不同的國外廠商合作，合併的問題會相當多。

資金也不是太大的問題，像半導體這種資本密集的產業，可以虧損好幾年才關門，因為公司成立時就已經拿到一大筆資金，虧錢時仍可以用折舊繼續營運，只是不能進行新的投資，不像其他產業，如果沒有現金進來買材料，工廠就得停擺。

DRAM廠虧錢時，公司營運並不會馬上出問題，只是無法發紅利股票給員工，影響士氣，人才較容易流失。

■ 已消失的關鍵性

我認為，台灣發展DRAM產業恐怕已經沒有機會了。就跟中央處理器一樣，除非出現新的機會點，否則就無法進入，例如很便宜、功能不必很高的中央處理器獨立成為一個新的市場區隔。但是DRAM的新技術大概都可以取代舊技術，如果技術不領先，根本就無法競爭，以台灣的研展費用偏低的情況來看，技術很難領先。

我離開DRAM產業已經四、五年，DRAM廠商在這段期間是不是已經熬過去了，未來是不是可能會有很高的回收，我都沒有意見。但是檢討過去的經驗之後，覺得把我們的能力和資源一直投注在DRAM上面，其實並不值得。從資源運

用的角度來看這件事，CEO（執行長）有責任隨時檢討資源應該放在哪裡，包括人力和資金的資源。

DRAM本來就值得檢討，首先，DRAM這項關鍵性零組件現在應該不至於供不應求，其次，DRAM做為帶動技術進步的龍頭地位也已不再。從這兩點來看，過去DRAM的關鍵性已經不存在，以前是基於DRAM的關鍵性，所以政府要政策性發展DRAM，現在這種關鍵性既然已經不存在，就只能從投資報酬率值不值得來考量。

宏碁最終沒有做成DRAM，但是投資報酬率是夠的，所以我並不覺得遺憾。德碁當時的規模在國內半導體產業已經是第三名，僅次於台積電和聯電，有時利潤也許比他們更好。而且因為德碁是單一產品，成長潛力比其他公司高，市場好的時候，只要持續投資擴大規模，就可以成長得很快，當然，如果景氣轉差或者德碁的技術落後，就很難繼續下去，前功盡棄。

宏碁投資德碁將近十年，1989年正式決定投資，1999年12月底台積電宣布合併德碁。以這十年來看，當年德碁有賺錢，再加上台積電以換股方式收購德碁股權，我們把德碁股票換成台積電的股票也賺了錢，所以宏碁投資德碁的投資報酬率是夠的。當然，如果從建立關鍵性零組件自製能力的角度來看，德碁並沒有達成這個目標。

■ 投資液晶顯示器

在投資半導體之後，我對於資本密集產業的企圖心就不

再像過去那麼積極，但是李焜耀反而非常積極，他當時擔任明碁總經理，計劃投資液晶顯示器，並於1996年成立達碁科技。當時我是明碁的董事長，基於DRAM的經驗，我很在意液晶顯示器產業是否會有供過於求的問題。

李焜耀分析說，從供應面來看，DRAM的產品愈來愈小、愈快，所以投資同樣的設備，產能會愈來愈多，成本也愈來愈低，但是液晶顯示器產業並非如此，液晶顯示器投資同樣的設備，產能的提升幅度不會像DRAM那麼大，因此在供應面不會像DRAM那樣有爆炸性的成長。

至於需求面，液晶顯示器的需求潛力比DRAM高。很多產品如手機、數位相機、電視機等都需要液晶顯示器，需求量很大，另外，液晶顯示器取代映像管顯示器也是一個新的龐大市場。

慎選技術來源

考量市場供需的情況之後，我並不反對投資液晶顯示器，但是我強調要慎選技術來源。之前德碁雖然有德儀提供技術，但是本身技術不能獨立，銷售權又被德儀控制，結果受制於人，這次投資液晶顯示器當然不可能重蹈DRAM的覆轍。為了找液晶顯示器的技術來源，一開始我們跟飛利浦（Philips）談合作，那個時候只有他們有興趣跟我們談，雙方談了相當久。

其實那時飛利浦的技術屬於非主流，如果長期大規模量產會有隱憂，所以他們收購了日本星電（Hosiden），但是

星電的技術也屬於非主流，所以後來飛利浦轉而跟韓國樂金
（LG）合作，各出資一半，成立樂金飛利浦。由此看來，飛
利浦下定決心要擁有液晶顯示器，因為他們要做消費性電子
產品，一定會用到液晶顯示器。

　　日本的索尼迄今沒有液晶顯示器，是他們未來的致命
傷，目前日本除了夏普（Sharp）有一些液晶顯示器的投資之
外，其他日本廠都沒有（2004年第三季日本日立與松下宣布
合資興建液晶顯示器廠，相信沒有掌握液晶顯示器是日本公
司的痛處）。

　　達碁和飛利浦談不成，後來找到IBM合作。當時宏碁跟
美國IBM有很大規模的合作，互相採購，IBM也授權德碁製
程技術，宏碁是IBM在全球的重要策略夥伴之一，因此當時
我們跟IBM的關係很好，正處於「蜜月期」，我也有機會跟
當時擔任IBM董事長的葛斯納（Louise Gerstner）碰面。

　　我們見面時談到技術的問題，葛斯納說，IBM的技術很
多，但是如果沒有拿出來應用，技術再多也沒有用，所以他
表示歡迎我們使用IBM的技術。

　　當然，這是要付費使用的。我知道日本IBM有液晶顯
示器的技術，但管轄權仍屬於美國，我跟葛斯納見面之後，
等於打通了跟日本IBM談合作的管道。後來我們去了日本幾
次，我也曾經陪李焜耀、陳炫彬去見他們。

　　IBM早在1989年就與東芝合資成立DTI公司，生產液晶
顯示器，所以當時我們也拜訪東芝。不過東芝和華邦電子關
係密切，在DRAM方面早就有合作，所以東芝好像已經有默
契，DTI想要一魚兩吃，把同樣的第三代技術賣給與華邦電

子同屬華新麗華集團的瀚宇彩晶公司。

　　但是，IBM願意協助達碁改良第三代技術成為3.5代技術，所以後來我們選擇了IBM。

　　這是很關鍵的一個決策，雖然我們研發3.5代的技術必須承擔技術移轉的風險，但是如果達碁跟別人移轉同樣的技術，就無法在一開始就創造領先的局面，這是我們從過去投資德碁學到的經驗。

　　達碁一開始找技術合作對象時，我盡力幫忙，初期董事會我也都有參加，等到達碁逐漸上軌道之後，很多決策和細節我就不太管了，只有重要決策才會參與，其中之一就是達碁跟聯友光電的合併案。

▋和第一名結盟

　　聯友光電是聯電轉投資的公司，起初由聯電董事長曹興誠兼任聯友董事長，2000年才由劉英達接任董事長。有一次李焜耀打電話給我提到達碁與聯友合併的構想，我非常贊成，雙方就開始談，談過之後雙方都有初步意願，我才出面跟曹興誠談。

　　第二次見面時我們就討論人事安排，因為雙方勢均力敵，所以原則很簡單，就是董事長、副董事長、總經理、執行副總這四個職位雙方各拿一個，董事長配執行副總，副董事長配總經理。決定了四個主要職位的人事之後，其他職位就按照這個原則去安排。

　　這項合併案進展得很快，從開始談到敲定合併，前後不

到兩個月，2001年3月中旬，兩家公司的董事會都通過這項合併案，9月份達碁和聯友就正式合併為友達光電公司。後來聯電的人慢慢退出友達，由原達碁的人士主導。

友達合併案給我帶來一個新觀念。

以前我很不注意股價，但是達碁跟聯友在談合併時，曹興誠提到了股價的重要性。他對這一點感受很深，因為聯電是晶圓代工業的第二名，只輸給一家公司而已，但是兩家公司的本益比就差很多。他對我說，合併後的友達是台灣最大的液晶顯示器公司，雖然世界第一更有價值，不過台灣第一的價值也不低。

他說的沒錯，友達成為第一名，他的回收馬上就提高，而且合併後等於是交由明基負責，明基一定會正正派派經營，聯電就可以「坐享其成」。就像我把德碁交給台積電一樣，我也可以「坐享其成」，所以我碰到張忠謀的時候都會謝謝他，讓國碁併入鴻海也是基於同樣的想法，跟第一名在一起絕對有好處。

DRAM就跟其他幾件我推動的事情一樣，像是創投、IC設計等都是我們最早做，但是到最後成就都不在我，主要原因在於我們無法照顧到那麼廣泛的領域，無法大幅領先對手，所以2000年年底宏碁二造時，就強調簡化、專注，專心經營最關鍵、最核心的事業。

選錯行就會有問題，我們必須掌握對的方向和對的時機，如果行不通就要調整，這個才是重點。迄今我曾推動過的重要事情裡面，大概只有自創品牌受創最深而最後算是成功的。

第一件成就不在我的事情就是宏碁剛創業時做的技術性貿易，也就是代理 IC，而且我們比純粹代理 IC 的公司還多做了一件事，那就是提供技術支援和服務，例如我們為客戶設計許多應用微處理機的產品。我們還有另外一項創舉，當時的 IC 代理公司都沒有庫存，客戶要買才向國外訂貨，我們首創建立庫存的做法。

■ IC 設計：資源錯置，喪失先機

現在從事 IC 代理的公司很多，不過都是純代理而不提供設計服務，目前宏碁集團裡從事 IC 代理的是建智，IC 代理業裡領先的員工都算是我們的後輩，但建智的規模可能排到第三、四名，在後起的世平、聯強等領先公司之後。

在半導體產業，宏碁應該算是第一個投入無晶圓廠（fabless）的專業 IC 設計的公司。大約在 1984、1985 年時，我在宏碁內部成立一個 IC 設計的部門，就是揚智科技的前身。那個部門從工研院電子所移轉技術，當時的技術負責人是李昆銘，目前擔任明基電通的副總經理暨技術長。

接著在 1987 年年初，我併購了莊人川、吳欽智、李曉均等旅美博士在矽谷創立的 IC 設計公司。1993 年宏碁把整個 IC 設計的業務正式獨立出來，就是揚智科技。跟我們差不多同時發展專業 IC 設計的，還有王國肇創立的太欣半導體。

當年李昆銘帶領一個團隊設計 AT 個人電腦的晶片，那時我們設計好之後都是交由日本沖電氣（Oki）代工生產，後來台積電成立，我們就轉到台積電生產，台積電第一個國

內客戶就是揚智。揚智轉到台積電下單生產之後,可以降成本,縮短交貨期,對揚智很有利。

不過,後來我們做了兩次錯誤的決策,使得揚智錯失領先的地位,一個是開發MCA(micro channel architecture,微通道架構)晶片組,另一個是開發PICA(performance-enhanced I/O & CPU architecture,高功能輸出入及微處理機架構)晶片組。

IBM在AT個人電腦之後發展了微通道架構,宏碁認為這個架構未來可能會變成主流,所以就投入開發晶片組。結果MCA的市場反應不佳,我們的投資也白費了。金錢的損失還是小事,更大的問題在於我們投入很多人力資源在這裡,而沒有投入在真正能夠創造營收的產品。

另外一個錯誤是,開發ACE(advanced computing environment)的PICA晶片組。

ACE是由微軟和康柏發起的,微軟推出的Window NT並不受限於採用何種中央處理器,目的是為了打破英特爾的壟斷,康柏參與合作是為了不再受制於英特爾,我們基於相同的理念而跟進,結果康柏反而臨陣脫逃,最後放棄了。

ACE採用MIPS中央處理器,揚智就負責設計搭配的PICA晶片組,如果沒有我們的晶片組,微軟根本就做不出這個產品。

當時以技術來講,揚智設計的這個晶片組確實是領先全球,但是市場對MIPS與Window NT組合的電腦接受度不高,所以我們的晶片組即使領先全球,對營收還是沒有幫助。

這兩個錯誤決策都是為了追求世界最領先的技術,這兩

種產品耗費我們許多資源，但銷售量都衝不高。在台灣的IC設計業，本來揚智的資源是最多的，但是這兩個錯誤的決策使我們資源錯置，喪失先機，結果現在台灣IC設計的技術能力主要集中在威盛（1992年成立）、聯發科（1997年成立）這些後起之秀身上。

這兩個決策有一點違反我的「老二主義」，因為1988年宏碁股票上市，氣勢正盛，想要不斷突破老二主義的心態，追求領先突破，才會做這兩個決策，現在回想起來，台灣還是老二主義比較實在。2004年6月，基於揚智員工的利益以及宏碁股東的權益，宏碁決定將揚智的持股賣給聯發科，正式退出揚智的經營權，讓揚智未來有更大的發揮空間。

主機板產業：情勢所迫，放棄先機

在主機板產業，宏碁也曾兩次錯失先機，但這並不是因為宏碁沒有看到商機，也不是宏碁沒有意願進入，而是情勢讓宏碁不能發展。

我要特別強調，早期台灣所有做主機板的主要人物都出身自宏碁，他們對主機板的深刻了解，也是因為我將他們送往美國培訓。

1984年我參與投資美國的日技公司（Suntek），日技的總裁石克強就是台灣惠普科技董事長何薇玲的先生，日技採用32位元的摩托羅拉（Motorola）68000中央處理器來設計工作站，技術和功能都強過當時仍採用16位元中央處理器的個人電腦。

　　那時由於日技燒錢燒得很厲害，我就在1985年派了一組人去美國支援他們，這個小組的成員，包括後來離開宏碁創立精英電腦的陳漢清，而帶隊的，則是現任華碩電腦董事長施崇棠。

　　派這組人去美國，一方面是支援石克強，協助他們降低成本，另一方面是為了讓他們去學技術，移轉回台灣，這也是我投資日技的目的。他們在美國待了相當長的時間，租了一棟宿舍，大家都住在一起，日以繼夜的工作，很辛苦。

　　後來日技的工作站計畫失敗，我們的投資也泡湯了，但是這組人有了在美國受訓的經驗，對於32位元的架構都有很深入的了解，對他們回台灣之後設計32位元的80386個人電腦很有幫助，因此宏碁得以領先IBM推出32位元的電腦。

　　後來陳漢清還有一些人離開宏碁，都是投入主機板這一行。當時主機板逐漸成為一個新的機會，而且規模不小，但是宏碁卻沒有辦法跨足。宏碁並不是不想進入主機板業，尤其陳漢清剛創立精英時還不成氣候，但是當時的市場生態讓我們不能進入。

　　我們內部檢討時發現，當時主機板都是賣給低價的非品牌組裝電腦（clone）廠商，也就是所謂的雜牌電腦，如果宏碁把主機板賣給他們，他們組裝好之後，對外聲稱這是宏碁的電腦，而價格可能比正牌宏碁電腦的價格還低三成，會影響我們的銷售。

　　因此當華碩也成立以後，主機板產業慢慢茁壯，我們知道有這個商機，但問題還是無解。其實華碩曾找我投資，我自己覺得投資也無妨，因為都是我的子弟兵，但是我們公司

內部反對，因為畢竟我們公司跟他們是競爭者，所以最後並沒有投資華碩。

等到宏碁集團成立建碁（AOpen）做主機板時，已經是主機板產業發展的第三波了，雜牌和正牌電腦的價差已經不像過去那麼大，過去無解的問題現在迎刃而解，可惜先機已失，當天下底定之後，很難再改變既定的市場生態。

▓ 液晶顯示器：掌握變局，順勢而起

液晶顯示器的情況卻不太一樣，台灣廠商之所以可以出線，是因為這個產業面臨一個變局，讓台灣有機會趁勢而起。就像過去微處理機的出現，應用日益普及而帶來變局，我掌握住這個變局，執行面也正確，結果台灣的家電業就被我們超越了。

我們的個人電腦在歐洲也是靠著變局而崛起，惠普和康柏合併之後，在歐洲打算採取直銷，他們的經銷商一下子失去了供應商，而此時我們剛好已經轉型、整頓好了，可以專心掌握這個變局，於是與這些經銷商合作，適時補位成為他們的供應商，使得宏碁品牌的個人電腦和筆記型電腦，自2003年起在歐洲交出一張十分亮麗的成績單。

如果不能及時掌握變局，等到大勢底定之後，想要硬攻實在很難。DRAM產業的情況就是如此，大勢底定之後再投入就來不及了。

網路事業轉型

二造之後的宏碁，把「技術推手」當作核心業務；
同時，在電腦上提供許多微巨電子化服務，
建立與對手之間的競爭障礙。
當年的網路事業，爭的是一時；
如今要以爭千秋為目標，朝王道邁進。

網際網路風潮正盛之時，宏碁也搭上這股熱潮，網路泡沫破滅之後，網路事業就和半導體一樣，被轉為非核心事業。

爭一時的網路事業

在宏碁，黃少華大概是最早接觸網路的人士之一，因為1990年代初期他曾經外派到美國，當時美國就已經有網際網路的觀念，他也有使用美國線上（America Online）的經驗。

1996年宏碁二十週年慶時，公司想要運用網際網路的概念，所以設計了一個虛擬的二十週年慶的秀場，也在網路上做了一些有關公司的介紹。我們公司裡的年輕人大概都懂網際網路，但我自己因為不常使用網路，原本對這些東西並不是很清楚，為了週年慶的活動，我還特地上雅虎的網站，感受一下網際網路是什麼。

我一直都在替每一個人找舞台，原先我對黃少華的規劃是由他來負責半導體集團，因為當初投資成立台宏半導體和宏發半導體科技都是由他負責，跟德儀談判德碁的事情也是由他聯絡，他早就已經介入半導體事業，如果正式由他來負責，可說是順理成章。

但是那時德碁已經開始虧本，而網路方興未艾，當宏碁打算發展網路事業時，他就表現得很積極、很有興趣。

當時，一些比黃少華輩分低的人都已經擁有一片天，他也想擁有一片天的心情我能體會，也樂見其成，這是我支持他負責網路事業的關鍵，而半導體集團則變成由我親自負責。德碁與台積電合併後，半導體相關公司則由呂理達負責。

　　現在來看，整個網路事業的投資有相當的迷思，有些想法是我在宏碁集團開始投資網路之前就已經覺得不妥的，後來決定轉型時，我也做了一些檢討。

▚ 投資網路事業的迷思

　　剛開始投資網路時，我就覺得投資價格過高，當時我很懷疑，投資網路真的會像那些創業的年輕人說的那麼好嗎？

　　過去我都是自己創業，以台灣的觀念來說，就是以十塊錢一股的價格來投資，但是網路風潮盛行時，那些年輕小夥子提了一個投資計畫，就要求出資者用一股三十元、甚至五十元以上的價格來投資，我怎麼想都覺得不合理。

　　那時台灣股市在一萬點左右，股市一直上漲的時候，雞犬升天，即使什麼都不懂的人，隨便買賣股票也不會虧本，但是經營企業不能如此，一定要考慮到投資的代價和回收。大家投資都是希望能夠得到回報，但是如果投資的代價不合理，如何能夠回收？

　　此外，那些想要網路創業的年輕人自己不出錢，卻要求出資者用高價來投資，也很不合理。我的觀念是，創業者應該一起承擔風險，大家都要出資，如果失敗了，也是大家一起承受後果。

　　網路事業的燒錢文化，我也不認同。當時網路風潮正盛，大家拚命燒錢，根本不在乎是否賺錢，大環境如此，我也只好妥協，只是提醒他們在燒錢之餘，也不要忘了終究必須獲利。

　　當時我想出一句話來說服他們，那就是「爭一時也要爭千秋」，爭一時是為了爭取到資金，才有辦法燒錢，但同時也要爭千秋，也就是要能賺錢才能夠生存，投資者也是為了能獲利才會投資。

　　為此，我還特地找了與網路事業相關的四、五十位幹部到龍潭渴望園區開會，向他們說明這個概念。可惜這些話必須天天洗腦才有用，那些年輕人只有在龍潭開會的半天接受到我的訊息，其他時間全都浸淫在網路爭一時的氣氛和文化當中，所以我那半天苦口婆心的談話對他們起不了作用。

　　網路正盛的時候，有記者告訴我他們都忙不過來，因為每天都有記者會，只要公司在記者會上宣布投資網路事業，公司的股價就會上漲。宏碁也趕上這股熱潮，投資了很多網路事業，在那樣的大環境裡，我實在是孤掌難鳴。

　　當時宏碁的做法是，由宏碁董事會決議投資多少錢在宏網，而宏網的決策是以宏網董事長黃少華為主。當然，如果有比較大的投資案，他們還是會讓我知道，但是按照我的個性，如果當事人決定要怎麼做，我通常都不會阻擋，因為我認為，既然交給別人負責，就要尊重他們的意見和做法。

　　除非是我堅決反對的事情，才會明確表達我不贊同。例如，我曾擋過李焜耀一次，那時明基受邀投資中芯，但這是違法的事，即使間接投資也不合法，所以我就必須阻止這項投資案。

　　還有像明基要投資手機時，我雖然沒有表示意見，但按照我的個性，只要我沒有堅決反對，就表示同意。手機的投資我並沒有幫明基太多的忙，不像投資液晶顯示器時那樣全

力支持，不過，明基跟摩托羅拉和飛利浦剛開始談合作時我都有出面，因為國外客戶還是會指名要找我談。

　　網路事業既然已經交給黃少華負責，我就尊重他的想法，像網路事業的幾個投資，我都沒有明確表示反對，只是提醒他們一些應該考慮的事情，聽得懂、或了解我個性的人就知道，我其實並不贊成，但是當時黃少華並沒有聽懂我的意思。

　　後來網路投資失利，雖然公司內部有很多人不太滿意網路投資造成的損失，但是王振堂覺得損失已經造成，就得接受這個事實，而且黃少華畢竟是創立宏碁的元老之一，我們對創業者至少會有起碼的尊重。

　　黃少華其實已經付出代價了，他在宏碁集團失去揮灑的舞台，等於是為網路事業的失敗負責，我必須這麼做，否則無法對其他人交代。

▌共創業容易，同共事難

　　從另外一個角度來看，如果不是我居間調和，也很難照顧到每一個共同創業者。

　　最早與我們一起創辦宏碁美國公司的張國華，他經商的岳父曾經告訴他，一起創業容易，但創業之後要繼續共事實在很難。當初共同創立宏碁的人個性都不太一樣，有的人凡事都不跟人家爭，像林家和，我就要維護他；有些人的個性則是比較積極，像邰中和，他就不滿意我保護有些同僚，認為我偏心。

後來邰中和離開宏碁，另行創業，但是他出去之後，我還是跟他維持很好的關係，他創業初期的創投資金我也幫忙打電話向一些企業界大老募集，我是《電子時報》最大的股東，我也請他擔任董事長。

我這種個性必須要能夠承受得住後果，也就是要有足夠的條件來彌補我個性的弱點，否則會吃不消。

就像網路的投資，因為我的個性使得我沒有堅決阻止一些不適合的投資案，所以網路事業失敗我也有責任，我身為整個集團的領導人，宏科和明基的成功我有貢獻，但表現不佳的半導體和宏電我也有責任。我的戰功可以將功抵罪，黃少華就沒有辦法將功抵罪，必須承擔失敗的後果。

■ 網路泡沫的洗禮

前面那些想法都是我在投資網路之前就有的，事後我又做了一些檢討，把網路投資和創業之初「微處理機的園丁」時期的發展做了比較，得到一些結論。

我認為，任何一個已經很熱門的東西，其實就不太適合投資了。

熱門是一個迷思，就像股市一直在漲，泡沫化的時候，最後加入的那些投資人都會血本無歸。過熱的時候就不是投資的時候，股市如此，產業也是如此，但是人性往往要看到過熱的情況才比較有興趣投資。

另外，網路的投資有三件很重要的事情，第一是建立競爭障礙，其次是合理控制燒錢的速度（burn rate），第三是營

運模式。

進入任何一個行業，都必須建立競爭障礙，才能長久。像王品牛排就有競爭障礙，他們已經做了十幾年，建立好管理機制，別人不容易挑戰他們。蛋塔沒有競爭障礙，風潮起來時，大家一窩蜂投入，沒多久熱度就退了。一般的網路公司也沒有競爭障礙，但是雅虎有競爭障礙，網路公司還沒有完全熱起來時，雅虎早就已經建立一個機制了。

第二是合理控制燒錢的速度。網路事業的創業過程裡，因為資金得來太容易，所以誤導了價值觀，花錢沒有節制，也不在乎賺不賺錢。

網路正熱的時候，所有的網路企業看的都是流量如何、一個使用者值多少錢，就像黃少華每次跟我談，都很高興的告訴我很多「第一」，例如宏碁戲谷裡上網打麻將的人數最多，但就是沒有告訴我賺了多少錢。

▌經營企業仍需創造利潤

但是經營企業無論如何都應該要創造利潤，有利可圖才能持久，這就是我所說的氣長策略。市場的教育，也就是市場的接受度，對所有的生意都是關鍵，例如平板電腦是好東西，但是好東西要讓大家知道，就必須投資很多錢去推廣，所以需要一些時間。

投資網路也是一樣，要吸引很多年輕族群上網也許沒有太大問題，至於接下來更有價值的應用，也就是讓各行各業全面網路化，這些客戶都還不太了解網路的應用，必須慢慢

教育他們，你一方面要有能力教育市場，同時也要有耐力撐到客戶都能接受的時候，也就是看你的氣夠不夠長。

▋ 評估企業的基本指標

至於如何評估投資的獲利情形，我在進行內部管理時，往往採用三個最基本的指標：

第一個指標是營業報酬率（return on sales, ROS），這個指標會隨著產業不同而有差異，所以並不是真正放諸四海皆準的評估標準。

第二個指標是淨值報酬率（return on equity, ROE），不管投資什麼產業，我都會看它的淨值報酬率，網路投資當然也不例外。

第三個指標是人力資源投資報酬率（return on human resources, ROH），這個指標看的是投資一個人多少錢，可以創造多少利潤，比如說員工平均薪資及相關人事費用是一百萬元，一年可以為公司賺多少錢，這就是ROH。很少人看這個指標，但是我認為任何一個經營者都應該要重視它。

ROE跟ROH是評估任何企業都要看的指標，例如，國營企業往往是壟斷性的事業，因此ROS很高，但是這不重要，真正應該看的是ROE和ROH。

另外還有一個可以參考的指標就是總資產報酬率（return on total assets, ROA）。我把ROA和ROE歸為同一類，都是資源，淨值是來自股東的錢，屬於公司自己的資源，總資產是自己的資源加上別人的資源（應付帳款及借貸）。如果財務

槓桿合理，我就只看ROE，如果財務槓桿不合理，就應該要看ROA。

淨值的成本不固定，因為不賺錢的時候投資者只有認了，但是借貸的部分有固定成本，因為借貸要付利息，即使你不賺錢銀行還是要收利息。過去有一些台灣或東南亞的企業很喜歡運用財務槓桿，借貸來經營，如果利潤率高於利息，那麼借愈多愈好，因為如果錢借得多，利潤也高的話，ROE就很高，不過ROA可能不高。如果利潤率低於利息，則會借愈多損失愈多，ROA不高，也會傷害到ROE。

我檢討旗下所有的企業，都是用上述這三個指標，評估網路公司也不例外。資源較多的公司投資網路，往往忽略了ROH、ROA的重要性，除非是很有經驗的主管，或是公司有交代要採用這些指標，才會重視這些指標，但是我認為應該要斤斤計較網路投資的回收。

企業成立初期，營運可能還不太穩定，但無論什麼投資，經過一段適當時間之後，就應該要達到合理的回收，至於這段期間是一年、三年或五年，視行業而定。

在評估獲利情況時，就用上述三個指標來檢討，看看表現是不是相對比別的產業、比別的同業還要好，平均值是否合理。如果表現不夠好，就表示E（淨值）和H（人力資源）都放錯了，此時就必須改變，也就是進行變革管理。

投資網路的第三個關鍵就是營運模式。過去宏碁每個階段的成長都有發展的焦點，但是我們在投資網路時，曾有媒體說我們失焦，看不出核心業務是什麼。

宏碁二造推動轉型之後，重新聚焦，雖然不放棄電子

商務，但是所謂傳統的網路事業，像是網路的基礎建設、通信、網路的內容等，宏碁都不碰。我們的新定位是「資訊科技的推手」（IT technology enabler），所以我們不投資架設網路，而是利用別人架好的網路，由我們提供技術讓客戶在網路上做很多事情，宏碁現在做的微巨電子化服務就是如此。

　　為了讓外界了解宏碁在網路事業的新定位，改變外界過去對宏網到處投資的印象，所以宏碁在2003年12月宣布捐贈交通大學一億元基金，成立交大數位創意產業發展中心，做為發展數位創業產業的育成平台環境。

　　這麼做，一方面是回饋我的母校，一方面是傳達一個訊息，我們很關心數位內容和文化創意這兩個產業的發展，但是宏碁並不會直接投資數位內容，現在這已經不是宏碁的核心業務。

■ 下一波的網路商機

　　經過網路泡沫化的洗禮之後，我認為網路仍然非常重要，只是網路真正的市場潛力還沒有完全開發。之前的網路是年輕人的玩意，這並不是說只有年輕人在使用網路，而是說年輕人是主要的客戶族群。

　　以年輕人為對象的網路事業的確有開花結果，但這個市場是有限的，只是網路第一波的發展而已，必須等到各個產業、服務業和金融業的運作都全面網路化之後，網路真正的市場潛力才會展現，這個網路市場的規模將遠超過之前，可能是一個比過去大五倍、甚至十倍的市場，而這個龐大的市

場現在才正要開始發展。

　　例如，全球最大的零售商沃爾瑪百貨（Wal-Mart），在今年（2004）初開始更積極的應用無線射頻識別技術（radio frequency identification, RFID），RFID就是一張嵌有可發射無線訊號晶片的標籤，如果貼在商品上，消費者不必取出挑選好的貨品逐項結帳，只要靠遠端感應器掃描，就能立即在收銀機上顯示所有商品的細目和價錢，可以大幅縮短結帳流程，也可以做供應鏈管理和庫存管理。如果RFID標籤的價格可以大幅降低，就可能全面取代現有的商品條碼。

　　從2004年開始，沃爾瑪百貨的前一百大供應商將更積極的運用RFID技術，類似的技術和產品有助於降低供應鏈的成本，因此而創造的價值遠超過現在大家在談的所有價值。

■ 機會與挑戰

　　不過，這塊待開發的廣大市場比過去更難經營。網路市場第一波的客戶就是網路族，解決方案很簡單，例如簡訊。但第二波的客戶很難教育，解決方案更難，可能比第一波的解決方案複雜十、百倍，尤其年輕人並不懂這些行業的運作，更不懂如何整合不同來源的技術供應商，所以很難提供客戶所需的解決方案。

　　這正是宏碁的機會所在，我們提供有意發展網路事業的工商業所需的技術。

　　例如，元碁在一開始的時候做Acer Mall線上購物，我立刻就問他們為什麼要自己做Acer Mall，為什麼不是提供企業

客戶做購物網站的技術。又如元碁售票網透過網路替兩廳院賣票，但我認為元碁應該提供兩廳院網路訂票的技術，而不是負責前端的售票業務。

當時那些年輕人都無法接受我的想法，因為他們對整個生意的看法跟我不一樣，他們所熟悉的網路就是購物網站這類的東西，所以認為這麼做是對的。可是我一看就覺得不對，因為我們的 Acer Mall 幫人家賣書又賣禮品，元碁售票網幫人家賣票，這些都不是我們的本業。更重要的是，營運模式不對，問題出在沒有重複使用，難以真正獲利。

自己經營購物網站，投資很大，尤其是研究發展的投資，可是只做一個網站，而且經營又沒有產生效益，回收就不足；但是如果改做購物網站的技術推手，同樣的技術賣給很多個購物網站，也就是可以重複使用，客戶多、規模大，就可以壓低成本，比較容易回收。

像這麼簡單的道理，我講了五年多，他們都沒有聽懂，黃少華也沒有聽進去。二造時我有太多事情要處理，元碁的轉型只是整個二造裡一個比較小的枝節，所以我沒有辦法一直盯著他們這件事，只能在想到時跟他們講一下，到最後是王振堂幫我督促他們轉型，因為王振堂的態度比我強硬一些。

扮演商業整合者的角色

宏碁經過二造之後，技術推手成為我們的核心業務，只是尚未回收，目前我們優先提供的服務，都是對我們的硬體銷售有幫助的。電腦也是一個「推手」（enabler），只是它是

最簡單、最沒有競爭障礙的推手，因為大家都會做電腦，但是當我們在電腦上面提供很多的微巨電子化服務，就不是那麼單純了。

我們重新定位之後，放棄那些沒有辦法建立競爭障礙的業務，沒有辦法槓桿運用宏碁品牌的業務，我們優先要做的是能夠運用各種與網路有關的能力，包括我們對產業的了解、對客戶的了解、對技術多元化的了解、對硬體和通路的掌握。我們現在所做的其實就是整合各種能力，也包括整合很多技術供應商，我們稱之為商業整合者（business integrator）。

例如，我們轉投資的樂彩公司所提供的就是微巨電子化服務，樂彩先投資數十億的含電腦、網路、投注機等巨架構，提供大眾快速方便而手續費微薄的微服務，宏碁也扮演了商業整合者的角色。

除了合作夥伴美商集太公司（GTECH）之外，我們還要整合很多供應商，其中包括把三百名兼職的工程師組織起來，對分布在全國各處的七千多個投注終端機，隨時提供服務，如果投注站的電腦出狀況，尤其若是開獎前出狀況，問題必然很嚴重，投注者一定會抱怨連連，所以維持投注站的正常作業是很重要的。

上一波的網路商機，宏碁錯過了，接下來規模更大的一波機會，宏碁已經看到了方向，這一次不能再錯過。

第四章

國際化
開花結果

從1977年在美國設計分公司開始，
就是宏碁跨出國際化的第一步。
將近四十年的時間，
宏碁以親身體驗證明，這條路並不好走，
但儘管不易，卻是台灣企業必須走的路，
有助於強化企業永續發展的實力。

　　1977年宏碁在美國設立分公司，跨出國際化的第一步，二十多年來宏碁的國際化努力曾經遭逢許多挫敗，終於在近年交出一份漂亮的成績單。2003年，宏碁在歐洲開始揚眉吐氣，虧損多年的美國市場也從2002年開始轉虧為盈，並積極醞釀大幅起飛的條件。

　　國際化是一場持久耐力的考驗，必須隨時視情勢變化而調整策略。宏碁國際化的最初十年走得相當平順，但是到了1991年，宏碁海外投資發生巨額虧損，遭到各界批評質疑。

■ 始終堅持國際化路線

　　在我發展出「全球品牌、結合地緣」的新策略之後，解除了困擾宏碁國際化的諸多難題，例如：財務、品牌形象、管理效率等，讓宏碁品牌進入世界前十大，名列第七（請參見《利他，最好的利己》）。

　　新策略順利運作一段時間之後，我們發現結合地緣雖然是對的，但是執行過當，那時採取的「當地股權過半」政策使得各地分公司各自為政，無法達到經濟規模，成本也就無法降低，因此不得不再度改弦易轍。

　　2000年年底宏碁推動第二次企業再造，我們想出「新經銷營運模式」，成功壓低庫存，結果不但降低成本，也加速產品的推陳出新，讓宏碁在歐洲市場打了漂亮的一仗，接下來我們要把這個新模式移植到美國及中國市場。

　　宏碁從成立以來，一直堅持國際化的路線，因為我們深深體會到台灣的市場很小，得靠國際化來支持經濟發展，企

業也必須有效利用全球分工整合與國際資源來降低成本，提升企業競爭力。

　　企業的國際化有很多面向，如果是談行銷的國際化，宏碁電腦是台灣的開路先鋒；至於製造的國際化，明基電通是台灣資訊業界的先驅。

　　在國際行銷方面，不論是哪種產品，都可以分為兩部分，一個是行銷通路，另一個是品牌形象。台灣企業進行國際行銷的失敗案例很多，宏碁從創業初期外銷「小教授」學習機開始，在上述這兩方面就選擇走一條不一樣的路，經過長期的摸索和調整，才有現在的成績。

　　最早期台灣貿易的做法是先找到一些產品，然後尋求全世界對這些產品有興趣的客戶來買，或者買主想要什麼產品，貿易商替他在台灣找。這種做法有兩個特點，一個是只要有客戶來就賣，第二個是沒有品牌。其實這兩個特點是一體的，因為沒有品牌，所以就不管行銷，當地的行銷和業務都由買主負責，也就是只有買賣關係，是純貿易。

　　我們從「小教授」學習機開始，就改變這種純貿易的做法，我們的做法有兩個特色：在行銷通路方面，來者有拒；在品牌形象方面，堅持用自己的品牌。

　　行銷通路的來者有拒是指我們並非有客戶來就賣，而必須仔細評估有興趣代理我們產品的廠商，然後才決定是否授權他們代理。「小教授一號」學習機推出之後，市場反應很好，主要原因是產品的功能規格很優越，台達替我們生產的品質也很好，而價格大約只有類似產品的一半。

　　「小教授一號」的成功，讓我們當時的品牌Multitech在

國際上專業領域裡建立了初步的品牌形象基礎，因此我們在選擇通路商時，首先要看對方是否懂我們的產品，是否了解如何掌握這個產品的機會；其次，要看他們的銷售能力，在當地是否有推廣產品的能力；第三，他們必須有意願替我們推廣產品，並且要提出承諾。

考慮上述條件之後所選擇的通路業者，跟我們的合作都很愉快。在宏碁成長的過程中，有些經銷商隨著我們成長，成為長期合作的夥伴，也有些經銷商並未隨著我們成長，不再能滿足我們的需求，所以就與他們合資，或者買斷他們的權益；至於有些實在做不好的，只好取消他們的經銷權。

▋ 行銷通路的經營

宏碁一向都把姿態放得很高，這不是指談判的姿態很高，而是指有所不為，很多的有所不為就是公司是否能夠永續經營的關鍵。除了嚴格篩選通路商之外，我們第一次在台灣銷售「小教授」學習機時，就要求全部的經銷商都要有抵押，只容許很有限的信用交易，所以二十幾年來我的經銷商倒帳的機會很少。

在國際上，我要求同仁客戶必須要有信用狀，而且信用狀不能有瑕疵，否則就不接受，如果不留意接受了有瑕疵的信用狀，往往就會出問題。同樣的，在大陸接訂單放帳給客戶，常常會出問題，宏碁就曾在大陸吃過虧。

早期我們的行銷通路都是採取國家總代理制，通常跨國大公司的做法是非獨家代理，現在宏碁也是如此，但是當時

我們公司的規模還小，資源不多，要靠代理商替我們花錢做行銷，為了保障代理商，只好採取總代理制。

後來要陸續收回代理權時，必須付點錢給原來的總代理，然後再付一段時間的權利金，通常初期的權利金比例高一點，然後逐漸降低，經過兩、三年之後才慢慢降到零。畢竟過去這些總代理曾對宏碁有一些貢獻，宏碁收回總代理權之後還是要回饋他們一陣子。

我們經營得非常成功之後，經銷商擔心會過度依賴我們，因為他們的錢愈投資愈多，風險愈來愈大，所以希望看到我們提出一些新的承諾。因此，我們在當地設立分公司，就近提供支援，聯絡也更方便，雙方都不必常常飛來飛去。歐洲是我們的主要市場，美國我們本來就有銷售據點，這兩個地區設立分公司都很容易。

其次，既然經銷商的風險那麼高，於是就考慮是不是可以把貨存在歐洲，所以我們成立分公司之後，接下來就是成立發貨倉庫。第三個是付款條件，以前都是先開信用狀我們才交貨，後來他們要求我們放帳。設立發貨倉庫只是解決他們取得產品的問題，放帳就有當地化的意味。

以歐洲為例，我最早在德國杜塞道夫設立歐洲總部，後來搬到荷蘭，之後再搬回德國，最後又搬到義大利。總部地點換了好幾次，幾乎都是為了遷就當地的管理組織能力。

起先把總部設在杜塞道夫，是因為日本公司都在杜塞道夫，大同也在那裡，所以我們就在杜塞道夫設立總部。後來因為發貨倉庫在荷蘭，而且我們併購了一家荷蘭的公司，所以就把總部搬到荷蘭。接著因為併購了德國的經銷商，再把

總部轉到德國。我們收購德儀的筆記型電腦事業之後，由於他們的經營團隊都在義大利，所以又把總部遷到義大利。

在這個過程裡，初期是以台灣派去的人為主，但真正開始要國際化時，就必須採取當地化的思考模式。

▍品牌形象的打造

除了行銷通路之外，國際行銷的第二個部分是品牌形象的塑造。我們主要是透過公關來運作，如果有好的新產品，就不斷發布新聞稿。其次，我們持續提撥行銷費用做為相對基金，跟經銷商一起在當地做廣告。

其實自創品牌很簡單，但是管理品牌卻很難。自創品牌是一個意念，大家都想要自創品牌，但是自創品牌牽涉到兩種組織，一個是財務管理組織，一個是行銷組織，這兩種組織的管理都不容易。

財務管理組織也可以說是資產管理的組織，由於應收帳款和庫存的規模都很大，所以管理不易，信用的管理也很複雜。宏碁能夠成為台灣國際化最傑出的企業，真是不容易，美商、歐商在這方面就很厲害，日商就不見得是靠品牌管理，借重當地人的情況也比較少，主要應該是仰賴他們產品的強勢來塑造形象。

另外還有行銷組織，負責宣傳、推廣，或是管理經銷商。在行銷方面，我們採用「窮人式的行銷」（poor man marketing），所以原則上廣告費用有限。

要靠有限的經費來長期運作不容易，我們主要的做法有

兩個，一個是靠舉辦公關活動，一個是靠創新的產品。成本最低的公關活動就是我，我走訪全世界各個角落，到處去見記者，談宏碁和我自己的故事，所以我會特別辛苦。我到過太多國家，歐洲差不多都去過了，拉丁美洲大部分的國家我也走訪過了，南非、中東我都去過。

開玩笑的說，1990年代我在國際媒體的曝光率絕對不輸給當時的李登輝總統，因為我在商業方面的曝光是持續不斷的。有一次我在新加坡坐計程車，跟司機聊天，他雖然認不出我是誰，但他知道Acer的Stan Shih。我在大陸的機場，也常常會碰到知道我的大陸人。這些都不是靠做廣告換來的，而是必須花很多的時間和智慧，用心慢慢經營而來，形象必須靠日積月累。

至於靠創新的產品來做行銷，以前行得通，現在已經不太容易了，因為目前個人電腦已經沒有什麼可以炒作的話題。產品本身沒有太多創新的空間，那就只能談公司，但現在個人電腦業多半都不賺錢，除了戴爾電腦和早期的康柏電腦算是成功的故事，其餘多半都是負面故事。

以前宏碁的故事也是成功的故事，因為以前有新產品，而且業務不斷成長發展，可是後來宏碁的業績不理想，談到宏碁就像談到現在的索尼一樣，都是說我們正面臨挑戰，未來拭目以待。

直到這兩年宏碁轉型成功，氣勢才又開始起來，但我還是不滿意，所以才成立價值創新中心，希望未來個人電腦還是能走出一條創新的路，有效提升宏碁在國際的形象。

以往我們也曾做過這方面的努力，1995年在美國推出

「渴望」（Aspire）電腦就是一例，當時短期的反應非常好，
塑造了宏碁的形象，但長期得不到商業利益，還是不算成
功。叫好一定也要叫座，叫座才能夠支持下去繼續投入。

　　宏碁的國際行銷之路走了這麼多年，到現在歐洲和東南
亞市場的開拓算是成功，大陸待加強，美國市場雖然轉虧為
盈，但目前只算穩住局面，仍待創造大幅成長的條件和機會。

■ 歐洲市場，揚眉吐氣

　　宏碁在歐洲市場的做法，可以用來說明新宏碁的國際行
銷如何才能成功運作。在二造之前，歐洲算總帳應該是賺錢
的，因為台灣賣產品到歐洲有賺到製造的錢，而當地的業務
也能夠維持，即使虧也沒有虧太多錢，所以歐洲的業績雖然
有起伏，但整體來看算是大致成功，為二造之後的新宏碁在
歐洲奠定更不錯的基礎。

　　新宏碁在歐洲市場的成功，主要有三個因素：優秀的經
營團隊、產品競爭力提升、新經銷營運模式。

　　宏碁的歐洲經營團隊是以義大利為首、原屬於德儀筆記
型電腦事業的經營團隊，負責人是義大利籍的蘭奇。我們收
購德儀筆記型電腦事業時，他們在歐洲比美國賣得好，收購
之後，我們的歐洲總部仍維持在德國，由宏碁原來的歐洲團
隊主導，所以蘭奇的影響力僅限於義大利。

　　蘭奇跟我們歐洲的人意見不盡相同，不過他在自己的領
域裡盡量表現，然後把實績做出來，讓宏碁的筆記型電腦在
義大利取得30％以上的市場占有率，建立他的信用度。

　　後來因為歐洲業績不太理想，德國總部高層人事有異動，有些人被換掉，也有些人離開，很自然就想到由業績表現亮麗的蘭奇來接歐洲總經理，歐洲總部也遷到義大利。

　　德儀是世界一流的公司，他們組成的經營團隊能力自然比宏碁早期的經營團隊強，而且歐洲人和公司的關係比較穩定，購併之後，這些歐洲人仍然留了下來，如果是美國人可能早就紛紛離開，即使自己不走，可能也會被公司裁員，當然也可能是因為在歐洲離職不像在美國那麼容易，無論如何，德儀的團隊留了下來，後來為宏碁立下汗馬功勞。

　　我花了很長的時間與蘭奇建立互信。我們第一次見面是在宏碁收購德儀筆記型電腦事業之前，當時他飛到聖荷西與我見面，但那次我們並沒有深談。

　　購併之後，我曾私下與蘭奇深談，除了謝謝他的努力成果之外，也讓他了解宏碁是世界上少數可以讓他穩定長期當家作主的公司，不像美國公司往往說變就變，我請他把我的訊息轉達給歐洲的經營團隊，讓他們了解宏碁的文化跟歐洲人重視長期的價值觀很接近，請他們繼續為宏碁效命。

　　我說服他們的關鍵點就是，如果他們經營宏碁成功了，結果不只是他們當家而已，而且還有很獨特的成就感。歐洲人經營美國公司成功了，頂多是被派到美國去，像蘋果電腦、康柏都是如此，很多成功的美國公司執行長都是歐洲人，如果蘭奇和他的團隊走同樣的路，頂多成為眾多成功案例之一而已，但是我相信他們如果把宏碁做起來，就可以創造一個獨特的案例，成就感會比較大。

　　為了與歐洲團隊建立互信基礎，王振堂花很多時間隨時

和他們用電話聯絡，除了每個月有視訊會議，每一季還有總經理會議。除了王振堂以外，他們和賴泰岳（國際營運總部總經理）、翁建仁（資訊產品事業群總經理）也都建立密切的關係。

總部與地區單位之間的合作，對很多國際化公司來講一直是個問題，地區單位碰到問題時，總部不一定會配合；就算配合，最後也不一定能達成目標，這些情況往往會削弱雙方的互信基礎。

可是宏碁的情況不同，我們的歐洲團隊雖然對總部的要求很多，而且他們承諾的營業額和利潤目標相對而言比較保守，但是如果總部願意配合他們的意見，他們通常都能夠達到承諾的目標，而且每一次的實績都超過原來的目標，這正是建立總部對他們的信心最務實的做法，因為談未來、談理念都是空的，實績才是建立信心的關鍵。

▊ 提升產品競爭力

宏碁在歐洲揚眉吐氣的第二個關鍵因素是產品競爭力。二造之後，我們採取多供應商的策略，全面提升產品競爭力。以前我們自己製造時，十個產品可能只有三、四個有競爭力，其餘五、六個都是陪襯，因為資源不足，不能照顧到每一個產品，無法達到經濟規模，這樣打起仗來就很辛苦。

二造時，我們改由三家供應商來生產，每一個公司負責三、四個機種，每個產品都具競爭力，包括品質和上市速度都有競爭力。產品有競爭力之後自然產生規模，如果沒有經

濟規模，不但價格高，品質也比較不穩定，更沒有餘力去開發新產品，改成多家供應商之後，這些問題都解決了。

歐洲市場成功的第三個關鍵就是新經銷營運模式。二造之後，宏碁不再做製造，產品從供應商直接送到配銷商（distributor），再由配銷商送到經銷商（dealer），這麼做是為了降低庫存。庫存低有兩大效用，第一是降低成本，第二是推出新產品的速度快，個人電腦業最重要的就是這兩點。

我們的貨雖然不是直接送到經銷商，但是經銷商還是直接對我們負責，我們要管轄零售點。2001年9月惠普跟康柏宣布合併，新公司打算加強直銷，讓很多原先屬於他們的經銷商因此心存顧忌，我們掌握到這個市場變化，決定全力支持經銷商，所以爭取到很多優秀的經銷商合作。

此外，我們也直接與消費者溝通，無論是提供服務或傳達訊息，都直接面對消費者。歐洲就在這樣的客觀環境下，做得非常成功。

總部對歐洲團隊很服氣，現在唯一比較擔心的是整個公司愈來愈仰賴歐洲，2003年歐洲占宏碁整體營收約63％，所以我們要蘭奇積極花時間到美國去，同時也積極投資中國大陸，都是為了要平衡這個問題。

在三大關鍵因素的配合下，我們在歐洲從點到面，逐步複製成功的模式。老實說，當初我們並沒有預期歐洲市場會如此成功。我們在收購德儀筆記型電腦事業之初，他們在義大利已經做得很好，但是當時義大利是由位於德國總部管轄，所以起初義大利的成功對別的地區沒有產生影響。

等到歐洲總部遷到義大利，由蘭奇當家之後，他按部

就班、一個一個國家的推動，把義大利的成功模式複製到德國、西班牙等其他國家。通常義大利人都比較感性，他這麼理性務實的做法不太像義大利人，不過他的團隊是美國公司訓練出來的，所以不太一樣。

每次複製之後，經過半年到一年就會逐漸展現成效，大概兩年之後宏碁在當地就會躍居第一。蘭奇複製的包括物流、行銷和管理。以物流來說，我們在歐洲的經銷商都是美國公司，例如英邁國際（Ingram Micro）和Tech Data，蘭奇先跟他們的總部談，談好之後，他們在歐洲各國的分公司就很容易跟我們配合。

我們在歐洲市場已經打下很好的基礎，接下來要進一步擴充產品線。本來我們可以使用德儀的品牌兩年，但是我們很快就放棄了雙品牌的做法，而以Acer為主打配合他們的次品牌TravelMate，最近開始積極加強另一個次品牌Aspire，主打家用筆記型電腦。

▓ 美國市場，全力奮戰

目前宏碁在歐洲的表現可說是名列前茅，美國的表現則不夠理想。美國市場那麼大，又是最重要的一場戰役，雖然美國市場從2002年開始轉虧為盈，但是營業額規模不大，與歐洲相比還差得太遠，現在美國市場只是止血而已，先確保公司可以生存下去，然後再等待機會。

美國市場無法像歐洲那麼成功，主要原因是經營團隊不穩定、不夠強，以及銷售通路的無效。

就經營團隊而言，宏碁初期在美國為了行銷據點的當地化，曾經找過美國人 Steve Mckenze 擔任總經理，起初情形還好，但是後來因為時機和雙方信任度都不理想，所以就改變做法。

1987年宏碁收購康點（Counterpoint）之後，由當時宏碁台灣的總經理劉英武兼美國的董事長，借重他曾任職 IBM，有管理跨國企業的經驗，並借重原康點的總裁，一位華裔女性 Pauline Alker 擔任美國總經理。Pauline Alker 之後由莊人川接任。

美國市場的第二個問題是零售通路的無效。莊人川接美國總經理時，我們開始就近在美國生產，所以他上任初期運作得相當順利，到了1996年，情況有些變化，由於美國的大型零售通路運作不合理，影響了宏碁在美國的營運。

美國大型零售通路一直就是一個大坑洞，不僅對宏碁是如此，對很多其他電腦公司都如此，例如派克貝爾（Packardbell）、IBM 等。

歐洲主要是透過經銷商，少數是透過像家樂福之類的大型零售商。家樂福在歐洲的做法並不像在美國那麼不合理，而且零售商在歐洲畢竟不是主要銷售管道，我們即使不透過零售商也沒有關係。

不過，在美國，零售商是很重要的銷售管道，但是他們的交易條件很不合理，我跟很多人包括英特爾、麥肯錫顧問公司討論如何改變美國市場這種生態，否則在美國做個人電腦，只要透過零售商就沒辦法賺錢。

美國通路最大的問題在於庫存太多，資產閒置一、兩

個月沒有利用,零售商可以任意降價求售,甚至大幅折價以求出清存貨,存貨還可以退回,甚至不付錢,賣給零售商的庫存其實算供應商的,等於是美國通路運作的無效卻要供應商來負責。通路說他們也是受害者,但通路只是做一些小虛工,供應商卻會因此而虧損。這個問題不解決,供應商很難賺錢,大概全世界的電腦公司都栽在這個銷售管道上。

宏碁也吃過這種虧。1995年我們推出第一代「渴望」電腦,本來是要藉此來塑造形象,大展宏圖,雖然上市後占有率節節上升,但是美國的零售通路不健全,造成「渴望」電腦的出貨量雖然很大,利潤卻非常低,算總帳始終無法獲利,而且「渴望」電腦賣愈多虧愈多。

在美國,因零售通路的運作不合理,所以做一般消費者的生意是虧本的,做企業或個人工作室的生意比較有機會獲利,戴爾電腦就是如此。但宏碁在美國打不進大企業的市場,因為品牌不夠強勢,組織也不夠大到能服務企業客戶,所以我們只能以中小企業為目標;不過即使在中小企業市場上,宏碁仍算是小公司,占有率不高。

美國市場難打,還有另外一個很重要的因素,那就是美國的競爭者實在太強。我常常說,在美國是不公平競爭,我們到美國是在別人的地盤打仗,當然不公平,美國公司到台灣來跟我打仗,也打不過我。

外國公司在美國,除非是日本的消費性電子公司,他們強到打得美國沒有競爭者,或者是產品有差異化,像雙B汽車(寶馬BMW和賓士Benz)因為有差異化,所以還可以打入美國市場,否則就算是歐洲產品也打不進美國,我們到美

國打仗就更辛苦了。

　　如果到大陸打仗，美國公司跟我們一樣都是外國人，但我們半贏一點點，因為我們的語言通；在歐洲打仗，我們半輸一點點，因為他們都是白種人。

複製成功模式再出發

　　宏碁在美國市場一直都很辛苦，但是美國距離台灣那麼遙遠，不能一直靠總部支援，補給線太長了，總部有再多資源也不夠用。美國至少要能夠自給自足，甚至有盈餘，像歐洲那樣。在沒有找到美國市場的獲利模式之前，只有靠縮小規模來減少虧損。

　　莊人川之後由吳廣義接任美國總經理，他把美國分公司的規模縮小一點，但還是虧損。2000年林森楠接吳廣義，他上任之後，盡量精簡人事，現在的規模還不到全盛時期的十分之一，我們最多的時候在美國有兩千多人，現在大約兩百人。此外，宏碁二造之後提升了競爭力，包括產品的競爭力提升和庫存降低。

　　美國宏碁終於從2002年開始轉虧為盈，林森楠達成階段性任務。接下來的這一場仗，宏碁目前正在醞釀積極反攻的條件，現在看來唯一的希望就是採用歐洲的模式。

　　當然，美國和歐洲的情況不太一樣，西歐分成幾個國家，一個戰役一個戰役慢慢打，而美國是一個比整個西歐還大的市場，不過至少他們都是白種人，情況比較類似，而且在現今的市場裡，歐洲的模式是有效的，因此我們先從歐洲

派總經理過去，由蘭奇兼管美國市場，在美國採行歐洲模式，花比較長的時間慢慢調整，希望能夠有所突破。

我們希望，蘭奇能把新經銷營運模式的成功經驗移植到美國。

我們在歐洲趁著惠普和康柏合併後加強直銷的情勢，爭取到優秀的經銷商合作，美國雖然也有同樣的客觀條件，但是經銷商在選擇新的合作夥伴時，宏碁的排名並不在前面，例如，宏碁在歐洲比日本品牌強勢，但在美國日本品牌比我們強勢，而且由於我們在美國的組織力比競爭對手弱，所以經銷商還不太信得過我們。

現在我們派歐洲人去管理美國分公司，有了歐洲的成功經驗，也許可以讓美國的經銷商比較有信心。此外，我們歐洲配銷商的總部其實是在美國，希望運用這一層關係來突破。

蘭奇接掌美國市場之後，我們並不會從一開始就對他抱著很高的期望，還是應該從長計議，畢竟我們在美國市場的客觀條件並不是很好。宏碁現在在美國才剛轉型，還需要一段時間，目前在美國已經建立一個不虧本的基礎，在我退休之前應該可能會建立進一步的基礎，就是不求利潤太多，但營業額能夠擴大。

▎大陸市場，伺機而動

歐美之外，大陸是另一個很大的市場，但是資訊業台商在大陸市場的經營還需要時間，目前有一些問題待克服。

首先，台商跟大陸合作的幾個案子都不太理想，例如聲

寶、宏碁、友訊、微星都與大陸企業合作過，很難找到成功的合作模式。

第二，大陸市場很大，所以每一家公司都很積極，但是大陸資訊業者的歷史都不夠久，還沒有經歷過幾個產業景氣循環，不了解產業可能面對的問題，所以海爾、聯想、TCL等公司在五年或十年以後都必須經歷一個大考驗，經過企業再造以後才會更茁壯。這是必經的過程，沒有一家企業不是這樣走過來的。

宏碁和明基在大陸市場的行銷都是採取長期耕耘的策略。明基比宏碁容易打大陸市場，因為明基的產品比較單純，變化較小。此外，明基在大陸已經有製造基地，而且靠著經濟規模建立競爭障礙，可以用當地化的方式來打這場仗，所以明基在當地沒有製造方面的競爭對手。

而宏碁在大陸市場的產品沒有特別的競爭優勢，當地競爭者的產品來源都是台商，但其行銷能力勝過我們，所以宏碁經營大陸市場比明基難。

大陸市場雖然重要，但是對外商並不容易打進去。大陸市場有一些先天的條件，使得台商經營不易，包括信用管理和經銷網的建立都很難。

以信用管理為例，在大陸做生意很容易就會收不到錢，美商比台商更不懂怎麼管理應收帳款，所以康柏在大陸市場曾吃了一億多美元的倒帳。

在大陸建立經銷網也會面臨很多問題。宏碁在大陸經銷通路的基礎比較薄弱，我們不斷摸索，試過好幾次，2003年年底的扁平化措施又失敗了。

　　2003年11月，我們取消大陸四個筆記型電腦的總經銷商，改由宏碁在大陸各地的分公司直營，原先我們規劃由分公司直接面對五百家至八百家經銷商，後來發現大陸分公司的能力仍然不足，只好縮小規模，現在改成五十家地區配銷商，這個過程我們是一步一步調整過來的。

　　宏碁很早就開始行銷的國際化，早年我們氣勢很強的時候，曾經在1994年元月提出「2000 in 2000」（西元2000年達成年營業額新台幣兩千億元），也曾在1986年提出「top 5 in '95」（西元1995年成為全球第五大個人電腦品牌），但是我們在第七名、第八名原地踏步了很多年，2003年全球是第六名，要成為全球第五大的目標延後將近十年。

　　根據IDC公司的統計，2004年第二季宏碁品牌的個人電腦成為世界第五大，尤其現在宏碁在歐洲的桌上型電腦開始表現很好，對整體的排名是一大助力。

▌ 明基：製造國際化的先鋒

　　如果從製造的國際化來看，在資訊業界明基是第一先鋒，早在1990年2月正式成立馬來西亞子公司，明基就到馬來西亞設立工廠了。

　　明基生產的監視器、鍵盤等都是單價較低、而勞力需求較高的產品，所以很早就不得不外移，當時宏碁根本不需要外移，因為產品的單價高、勞力需求低。明基很早就開始推動製造的國際化，而且明基的產品有很多零組件，牽涉到很多的製造，所以明基在製造方面的國際化管理能力很強，這

是明基的核心競爭力之一。

明基到國外設廠的第一個地點是馬來西亞的檳城，當時我選擇檳城的考量很簡單，因為檳城的電子產業結構很完整，人才也多。檳城的人才素質不錯，但勞工數量不足，後來馬來西亞的外勞達兩百多萬人。不過我在決定去投資之前就已經考慮過勞工不足的因素了。

我的想法是，當時檳城還有更多勞工是做低附加價值的產品，明基的產品附加價值比較高，勞工一定會流向我們這邊，所以要等當地生產計算機的廠商如英業達找不到工人之後，明基才會找不到工人。

而且明基不只需要一般生產線的勞工，更需要工程能力強的人才，才能做高附加價值的產品，後來明基在馬來西亞廠的自動化水準比台灣還要高，生產的監視器、光碟機的效率也不比台灣差，證明我的想法沒有錯。

明基馬來西亞廠最重要的意義，就是做為我們海外的製造人才訓練基地。台灣早期透過德儀、通用器材（GI）、美國無線電公司（RCA）等少數幾家外商訓練製造方面的人才，而檳城的跨國企業規模都比台灣的外商大很多，很多跨國企業在那裡訓練了大批工程和製造方面的人才，所以檳城的製程和生產自動化的專業能力不輸給台灣。

再加上馬來西亞的英文水準比台灣好一點，所以後來明基陸續在墨西哥、英國、大陸設立工廠，都是從馬來西亞廠派人過去支援，這要比從台灣派人出去更方便。

馬來西亞廠為明基培養了很多製造方面的人才，例如陳炫彬。陳炫彬出身飛利浦，製造方面的訓練很嚴謹，到宏碁

之後，曾經是宏碁電腦製造部門的第二號人物，明基設立馬來西亞廠時，他外派擔任第一任廠長，此後一直留在明基體系。後來陳炫彬回到台灣，擔任友達光電總經理。

製造就是要一連串擴充下去，馬來西亞廠成立後不斷擴大規模，擴大到某個程度，就減緩下來，把較低階的產品移往後來設立的蘇州廠生產，馬來西亞廠則生產高階的產品。

早期，我幾乎每年都要到檳城去看一下，蘇州廠成立初期我也會去看一下，現在都不再管了。明基一直拓展到海外好幾個地方，現在友達、達方也到大陸設廠。

明基在台灣最早的廠是在桃園龜山，當時買了一座舊的紡織廠改建。那座廠很小，必須不斷擴充，每次擴廠都是買兩、三甲土地，一點一點的擴張，但是到檳城去的時候，因為土地實在很便宜，一買就是幾十甲，到了蘇州之後，又是檳城好幾倍的規模，所以後來明基整個製造規模的思考模式跟當年在台灣的時候很不一樣。

明基每次對外投資時都會產生一個效應，就是帶著衛星廠商一起出去。明基的產品都需要很多零組件，例如很多塑膠件、電線、連接器等，所以供應商也要跟著明基到海外設廠，以便就近供應。宏碁生產的筆記型電腦不一樣，高單價的零組件都是外商供應，能帶著一群台商對外投資的效應不如明基那麼明顯。

■ 宏碁的製造國際化經驗

宏碁製造國際化的腳步比明基慢，因為宏碁的產品單價

比較高。宏碁選擇到菲律賓蘇比克灣設廠，整個決策過程很簡單，從決定投資到實際開始生產，只花了五十八天的時間。

我是菲律賓亞洲管理學院的董事，每隔一、兩年就要到馬尼拉參加他們的董事會，以前我去開會時，感覺當地人對他們自己的投資環境沒有信心。因此，之前經濟部和中華開發公司到蘇比克灣開發工業區時，曾經找我們過去，但是我沒有興趣。

後來，羅慕斯執政，開始改善投資環境，我到菲律賓開會時，發現當地人的投資意願提高了，這時我才有興趣去蘇比克灣看看。

這當中還有一個有趣的小插曲，當時我跟我太太從馬尼拉坐直升機過去，到了蘇比克灣上空，我們看到下面有一群人，我就說有很多人來觀光，結果下了直升機才發現，那些人都是管理局動員來歡迎我們的。那次我跟蘇比克灣開發局的主任高登（Gordon）見了面，雙方談過之後，很快就做成投資的決定。

當初去蘇比克灣投資的是宏碁電腦，二造分家後，蘇比克灣的工廠分到緯創旗下，直到今天，在蘇比克灣的台商規模最大的還是只有緯創，我覺得很可惜。

宏碁對外投資的思考與明基不同，宏碁生產的是電腦，我們的材料、零件的價值比明基的產品高很多，對於製造人力的需求不像明基那麼高，所以不像明基那麼迫切需要到大陸設廠。

早期大陸生產電腦的量，也沒有大到像明基一樣必須帶著供應商一起過去，由於經濟規模還不夠，在大陸建立零件

供應體系（infrastructure）的時機就沒有那麼快，後來條件逐漸成熟，到現在電腦的零件供應體系也已成形。

在蘇比克灣設廠也一樣，當時考慮的就是可以借重台灣的零件供應體系，而且蘇比克灣的管理沒有問題，成本並不太高，甚至從菲律賓進出口比大陸更好，因為蘇比克灣是自由港。

不過，羅慕斯下台以後，管理局的主任換人，問題開始出現，例如，水費等費用隨便調漲，而且當地一直有個陰影，就是醞釀要成立工會。此外，由於當地無法供應零組件，一切都要從台灣支援，因此成本會提高。

宏碁在製造方面的國際化，在亞洲應該可以借重台商，但到了歐美就不是很理想。當年宏碁會到歐美設廠，主要是為了就近供應產品，在美國和歐洲的製造據點規模都不大，但是管理費用很高，競爭力不足。

我們當年開始國際化時，東歐的投資環境還不是很成熟，所以我們考慮去英國，明基在英國的南威爾斯選好地點，廠都蓋了，後來還是沒有在當地生產。

到歐洲投資有很多補貼，比台灣的條件還好，但是補貼愈多，台商的包袱就愈重，例如雇用員工和裁員的成本都很高，所以明基做了不久就撤退了。直到近年東歐的投資條件慢慢成熟了，華碩和鴻海都選擇到東歐投資。

宏碁和明基在墨西哥都有設廠，宏碁在荷瑞斯（Juarez），明基在墨西卡利（Mexicali）。墨西哥廠的規模一直大不起來，如果想要靠墨西哥廠擴張規模來獲利，提高競爭優勢，恐怕很難。所以在墨西哥設廠比較是象徵意味，表

示我們國際化的布局擴及美洲。

▮ 台灣未來的競爭力

　　從製造的角度來看，勞力密集的產業如果不國際化，台灣產業就沒有今天的競爭力。台商製造國際化的初期是到東南亞，後期完全靠大陸。

　　我認為，到目前為止，台商牢牢掌握了大陸的製造，因此，在製造方面，從事設計製造代工和僅做製造代工的純大陸公司的競爭者並沒有出現，在大陸做代工或大量生產的除了台商之外都是跨國企業，例如專業電子製造服務業的偉創力（Flextronics）、美商旭電（Solectron），另外像是希捷（Seagate）、IBM也在大陸設工廠。

　　大陸本地公司的製造國際化程度很低，大概只有做玩具和低價電子產品的代工，只是規模都不大，做設計製造代工的則還沒有。

　　在台灣以外的地區也是同樣的情況，台商在製造方面幾乎都沒有當地的競爭者，包括東南亞和大陸的當地公司純做製造和代工的很少，馬來西亞有一家金獅集團，但是不太成氣候，新加坡原本也有一家，後來被美商旭電收購。

　　未來大陸有可能出現當地企業的競爭者，那時台灣就要靠設計，不能只靠製造。例如半導體產業，由於政府遲遲不開放半導體產業到大陸投資，台積電無法早一點過去布局，當地的競爭者可能有機會竄起。

　　其實嚴格說來，大陸本身並沒有條件和環境發展半導體

　　的代工，之前日商恩益禧曾經和上海市政府合作，無錫也有很多半導體廠，都做不起來，現在半導體產業的大陸競爭者並不是大陸自己發展出來的，而是靠台灣的資金跟技術迂迴轉進大陸培養起來的。

　　從製造能力的角度來看，台灣早期有一群人默默努力，建立自己的產業技術，而現在的大陸並沒有這樣的人，無法像台商一樣建立製造的國際化能力。

　　台灣當年有一群人，像我在環宇、榮泰時，還有從三愛電子出來被稱為「三愛幫」的林百里、葉國一、溫世仁（已故的英業達集團副董事長）、江英村（致福電子創辦人）等人，那時候我們的規模根本比不上外商如台灣飛歌（Philco）、美國無線電公司，但是我們就有那種雖然小但是志氣不小的心情，白手起家創業，慢慢建立自己的產業技術。

　　大陸現在沒有像我們當年那樣的一群人，即使有心創業，也是做大陸國內市場的銷售，製造並不是重點。台灣市場很小，所以不得不做外銷；大陸市場很大，所以大陸企業都先攻國內市場，沒有辦法國際化，也無法做設計製造代工。

　　現在聯想和海爾在大陸市場穩固之後，都開始思考國際化的方向，想用自己的品牌進行國際化，但是競爭力尚不夠，其中海爾比較有希望成功，因為海爾的產品比較沒有競爭者，尤其白家電（如：冰箱、冷氣機、微波爐等）的市場上，奇異（GE）、惠而浦（Wirlpool），還有一些歐洲的公司競爭力都不高，所以海爾由白家電著手比較有希望。

　　但是如果談電視機，還有海爾現在開始跨足的電腦和手機，國際行銷的問題都很大，即使不談國際市場，在大陸跨

行都不是那麼簡單。

▌台商的創業精神

　　台商和亞洲其他地區的企業還有一個地方不太一樣，那就是創業精神。台灣出現了宏碁等很多新一代的公司，規模都遠超過老牌的家電業者。美國跟台灣一樣，資訊領域的新產品都是新公司在開拓；日本、韓國和歐洲則完全不同，還是原來做家電的那些老公司在做新產品，繼續成長。

　　造成這種差異的原因是社會文化，台灣和美國的創業精神比較盛。台灣純做設計製造代工的公司在大陸跟東南亞很少有當地企業的競爭者，都是台商跟跨國企業競爭，這代表這些地方的創業精神不足。

　　美商在台灣訓練了很多本地的創業者，日商則比較少。美商到台灣設廠，利用本地的廉價勞工，成本上揚後就移出去，這是比較利益的考量。美商不會一直留在台灣跟台商抗衡，外移之後，他們在台灣打下的基礎就放給本地企業接手，因此訓練了很多創業者，例如德儀在台灣就訓練了不少創業者，宏碁也訓練了很多創業者。

　　反觀日商在台灣訓練出來的創業者就比較少，台商在大陸的情況跟日商比較像，台商到大陸投資後一直沒有放手，持續掌控優勢，在大陸生根，使大陸廠商長期沒發揮空間。

　　大陸因為國內市場太大，而且比較閉塞，所以還沒有思考到國際化的問題，還需要一段時間。國內市場大就不是以製造為優勢，所以目前大陸從事代工的大概只有成衣、玩具

和低階的電子產品，但是他們都是按照客戶的要求來生產，自行開發的產品非常有限，因為他們並不了解國外市場的需求。現在大陸比較有國際化概念的恐怕只有溫州的一批皮件商，他們派人到歐洲去住，希望了解歐洲的市場。

台商在大陸一直掌控設計製造代工和製造代工業務，大陸企業一時還無法出頭，但是台商畢竟不能長期如此，還是要慢慢升級。當然還有一個可能性，就是像中芯國際一樣，台商在中國生根，變成中國的公司，不回台灣。

有些機緣實在很難講，當初如果不是台積電合併了世大積體電路公司，世大的總經理張汝京也不會到大陸籌設中芯。再往前推，也可以說沒有德碁就沒有中芯，因為當年德儀派張汝京到德碁，他有了德碁的經驗之後，出去設立世大，而且世大的人才大部分是從德碁挖角。

當初沒有人想到日後會產生這些關聯，就像當年如果沒有三愛電子，就不會有「三愛幫」那一群人出來創業，各擁一片天，這些都是因緣。

宏碁近三十年的國際化努力，曾經走過平順坦途，也曾跌宕起伏。國際化雖然不易，但這是台灣企業必須走的路，國際化有助於強化企業永續發展的實力，也是國力的延伸。

第五章

兄弟爬山，各自努力

品牌與代工，
似乎總是台灣製造業感到兩難的考驗，
但兩者真的不可得兼嗎？
王道領導人要思考的，
不僅是如何為企業從中找到創造價值的方法，
還要幫每一位人才找到舞台。

　　宏碁在2000年年底開始進行第二次企業再造，重新分割為三大集團，宏碁、明基、緯創，各自努力。在分家之後，泛宏碁集團改稱ABW家族（Acer宏碁、BenQ明基、Wistron緯創），以後是不是還叫泛宏碁集團我不知道，重要的是，集團裡的企業是不是能夠永續發展。

■ 人才濟濟的宏碁集團

　　明基董事長李焜耀早年曾在榮泰電子任職，是林家和（宏碁創辦人之一）的部屬，後來也曾在大同公司任職。由於他在榮泰電子待過，大家多少有點認識，所以我創業不久後就找他來，在宏碁做過研究發展、製造、行銷等工作。

　　早期公司曾派他到美國超微半導體公司（AMD）學習最新的微處理機技術，他回國之後就在宏碁設立的微處理機研習中心擔任講師，教授他在美國學習的技術。此外，我們早期銷售微處理機的發展系統時，李焜耀也曾協助客戶解決問題，並提供技術支援，所以他擁有很雄厚的技術基礎。

　　1988年宏碁上市之後，李焜耀對公司的一些發展不太贊同，對當時總經理劉英武的部分做法也不是很認同，因此產生了無力感。那時候公司的組織的確比較僵化，不只是李焜耀有無力感，施崇棠（現任華碩電腦董事長）也醞釀要離職。當時公司內部培養的年輕人裡面，劉英武曾點名幾位他很看好的明日之星，李焜耀、施崇棠都在其中，所以當時的問題並不是劉英武對待他們個人的問題，而是整個組織的運作讓這些年輕人產生無力感。

當時宏碁可說是人才濟濟，公司很看重他們，所以早期的一些重要幹部後來都成為公司的股東。

　　1979年我們成立台中與高雄分公司，由宏碁出資40％，其餘的60％由當地夥伴出資，像高雄分公司是林憲銘（現任緯創資通董事長）、梁秋生（已離職），1982年我們以換股方式合併台中和高雄分公司，成為宏碁百分之百轉投資公司，這些同仁就擁有總公司的股票。

　　另外對於早期的重要幹部，包括李焜耀、施崇棠、盧宏鎰、李昆銘、蔡國智等五人，我們以淨值一半的條件各配了2％的股份給他們，他們也都成為公司的股東。

　　1988年宏碁上市以後高度成長，有國際化的機會，上述那些人當時都只有三十幾歲，雖然他們能力強、有潛力，但是從我的角度來看恐怕還不夠成熟，要打這麼大的硬仗，必須從外面找更有經驗的人。

　　所以在1986年龍騰國際計畫之後到1990年之間，宏碁從外面引進許多人才，像是童虎、黑幼龍、劉英武等人。內部的年輕人發現他們之上突然安插了好幾位外面請來的副總經理、總經理，難免覺得自己在公司的發展有瓶頸。

　　這些空降部隊對公司的了解和向心力不如他們，而且其中除了劉英武能力強，行事作風強勢之外，其他有些人並不見得能獲得他們的認同，所以他們並不是很服氣，有些人因此而離開。例如，蔡國智本來被派到美國擔任宏碁美國分公司的副總經理，在他之上又聘一個美國人當總經理，後來蔡國智就離開了宏碁。

　　我想李焜耀也是因為類似原因而決定留職停薪到瑞士進

修，他在1991年取得瑞士國際管理發展學院（International Institute for Management Development, IMD）企管碩士學位。

1984年我成立明碁電腦（2002年5月改名為明基電通），李焜耀曾有一段時間跟王振堂一起到明基工作。1991年李焜耀回國之後，我就派他到明基擔任總經理。

有些媒體說李焜耀是宏碁的「反對黨」，所以才到明基去，其實主要原因是當時公司有一些人事的調動安排，像美國分公司本來是由劉英武兼管，他離職後，由莊人川回美國去管美國分公司，李焜耀就接莊人川在明基的總經理職位。我相信這些調動對人才的培育和養成有很大的貢獻。

至於外界會有所謂「反對黨」的說法，應該跟李焜耀的個性有關。李焜耀的個性很直，只要是他不喜歡或認為不對的，就直接說出來，所以管理風格比較強勢。如果我下面的人稍微有一點打混，我通常不太理會，只希望他能自愛，慢慢改進；但是李焜耀就會不假辭色，所以在他下面的人很難有機會打混，他會給人家很大的壓力，大家都很怕他。

不適應他這種個性和管理風格的人，在他底下工作會很辛苦，不過他也很支持部屬、很授權。如果部屬能夠取得他的信任，他還是可以聽得進去部屬的意見；但如果是他很堅持的事情，下面的人可能比較不會當場提出不同的意見，但是同仁就比較容易對我當場提出不同意見。

李焜耀這種直接的個性，對待屬下比較沒有什麼關係，但是對待同僚難免就會有問題。雖然他能力夠，做事盡心盡力，但是他對待同僚也是一樣直率，只要他認為同僚做得不對就講出來，可是同僚並不他該管的，而且有些事情雖然他

認為不對，但不一定是絕對不對，被他指責的人也不認為自己不對，所以有時候在組織裡就不是很受歡迎。

李焜耀到明基後，逐漸走出一條自己的路。此外，1992年宏碁決定要慢慢減少在子公司明基和宏碁科技的持股，其中部分股權由員工認購，最終目標是讓明基和宏科獨立上市，明基逐漸成為泛宏碁集團裡面很獨立運作的一家公司。

其實打從一開始，明基的發展模式就與宏碁不同，明基從製造代工起家，靠生產效率來賺錢，宏碁則是以自有品牌為主，兼做設計製造代工，靠研究發展、尋找市場機會來獲利。

▌明基，以製造決勝負

明基最早是從事合約製造（contract manufacturing）。當年宏碁接到一家美國客戶國際電報電話公司（ITT）的訂單，ITT要求代工廠只能為他們一家公司生產，但是宏碁還有其他的代工委託廠商，所以我在1984年成立明基，專門承接ITT的業務。

因此明基最早期的業務是製造代工，由於是以代工起家，所以研究發展比較弱，剛開始是靠宏碁的信譽去接個人電腦的訂單，然後專業做代工，更精確的說應該是合約製造，客戶只有ITT一家，後來才慢慢擴展到其他客戶。

明基從成立到現在一直都有獲利，因為他們已經有很好的製造基礎，關鍵人物是明基第一任總經理陳正堂。

陳正堂製造出身，是台灣早期頂尖的製造人才，他曾在台灣管理增你智（Zenith）的工廠，後來到香港在康力電子

集團（Conic）旗下一家公司擔任總經理，有管理工廠的經驗，對科技公司整體管理能力也有相當完整的歷練，為明基打下很好的製造基礎。

宏碁電腦不像明基靠生產效率來賺錢，而是以自己的品牌為主。所以從一開始，明基的生產效率就比宏碁好，包括製造的專業和成本控制的專業，都優於宏碁。宏碁雖然也有做代工，不過是設計製造代工，不是只做製造代工，宏碁過去賺錢並不完全是靠製造的效率，而是靠尋找市場機會，做研究發展，說服客戶取得訂單，而且接的都是比較小的單子，客戶很分散。

李焜耀上任之後，明基開始迅速擴展。李焜耀的技術背景很強，加上在 IMD 進修取得企管碩士學位，拓展了他的國際視野，到明基之後，他積極規劃明基的發展，展現很強的企圖心。在產品線方面，由於明基的優勢在生產效率，所以就慢慢轉到以量產為主的產品，例如監視器，後來宏碁也把鍵盤業務轉給明基。明基逐步擴充產品線，到現在，明基的產品線比緯創還要廣泛。

李焜耀另外一個做比較長遠規劃的就是人才，他非常積極引進年輕的優秀人才，博士、碩士都有。

現在明基要打自有品牌，除了不斷加強研究發展之外，最大的競爭優勢就是製造。之前明基的很多產品都是以很強的製造為基礎，然後再加強研發，長期競爭下來反而後來居上，變成業界數一數二的公司，例如：鍵盤、光碟機、掃描器都是如此。像掃描器已經發展了好幾代，領導廠商從全友到鴻友一直更迭，到現在恐怕是明基最強。

靠技術的公司反而到後來都輸掉了，因為靠技術的公司都走在前面，賺初期的高利潤，但是後來產業進入低利潤時期，要比製造能力時，他們的製造成本及品質就比明基差。

宏碁 vs. 明基

明基現在同時做自有品牌跟代工，很多人有疑問，為什麼宏碁到最後必須把自有品牌跟代工分開，明基卻能夠兼顧兩者？原因很多，主要是因為明基的產品線如監視器、掃描器、光碟機、鍵盤等，都是靠製造規模來競爭，而宏碁的主要產品是電腦，電腦的製造雖然必須要有一定的水準，但競爭主要是靠設計和彈性，而不是製造。

設計指的是要能迅速設計產品上市，彈性就是要能隨著市場的變化而調整。但是明基生產的都是量很大、利潤很低的產品，靠製造來決勝負，即使設計得再好，如果製造做不好、速度不夠快，還是不行，所以他們面對的競爭態勢跟宏碁不一樣，保有製造優勢是很重要的。

明基品牌的競爭對手當中，除了監視器的對手優派（ViewSonic）沒有工廠，其他的原來幾乎都有工廠，像三星、樂金都有。

分家後明基在監視器方面碰到宏碁的競爭，宏碁沒有工廠，但是監視器的銷售量不見得比明基少，這是因為現在的供應商很多，戴爾、惠普等公司把供應商慢慢培養到相當大的規模，所以他們都有競爭力，只是沒有銷售通路，必須跟沒有製造部門但有通路的公司如宏碁合作。

此外，宏碁是先有品牌再做代工，明基是先做代工再做品牌。宏碁做代工是因為他們在設計方面的投入很大，如果只靠自己的品牌，經濟效益不足。既然代工委託廠商願意向宏碁採購，而且那時為了借重宏碁，他們並不反對宏碁擁有自己的品牌，所以雙方建立起一種共榮共存的互惠關係。

其實很多客戶希望向有品牌的廠商採購來提升形象，例如台灣廠商也曾經想向IBM採購主機板，明基也曾經採購索尼的Trinitron映像管。

客戶向有品牌的代工委託廠商採購，好處是設計製造代工廠已經設計好，具有經濟規模，客戶不必承擔很大的風險，就可以靠設計製造代工廠來提高競爭力，即使這些設計製造代工廠也有自己的品牌，可能會與客戶的品牌產生競爭和衝突，但兩者權衡之下，還是靠設計製造代工廠來提高競爭力更划得來。

只是到後來，產品的利潤愈來愈低，客戶向設計製造代工廠採購等於是幫設計製造代工廠降低成本，設計製造代工廠的自有品牌可以靠低成本跟客戶的品牌競爭，而且宏碁的品牌愈來愈強，所以雙方後來的關係變得很微妙。

等到筆記型電腦和主機板的專業設計製造代工廠崛起，成為國際大廠的強力後盾，這兩股力量終於使得宏碁電腦喪失設計製造代工方面的競爭力。

明基跟宏碁不一樣，明基是從製造代工起家，後來才做自有品牌。

不過明基最早做品牌的時候，還是像做代工一樣，因為他們用的是宏碁的品牌，而且也由宏碁的海外公司替他們銷

售，例如明基的監視器就是如此。到了手機的時候就不太一樣，明基的手機是先做代工，後來才打自己的BenQ品牌，客戶當然也開始有疑慮。

階段合作各取所需

碰到這種棘手的情況，往往都是由我跟客戶談，像IBM、摩托羅拉、戴爾這些大客戶的事情都需要我出面。

我跟摩托羅拉談手機的事情時，當然不可能承諾只做摩托羅拉一家公司的生意，像當初ITT要求獨家時，我就成立明基專門做ITT的生意，宏碁這邊還是可以承接其他客戶的業務。我對摩托羅拉說，明基還是保留自有品牌，不過我們承諾盡量不會不公平競爭，盡量避免直接衝突。

不過時空環境漸漸有了變化，現在明基手機的競爭對手不但多，而且大家的規模都很大，摩托羅拉多了很多選擇，所以就改變策略，不再獨鍾明基一家，明基也要調整策略。所以明基的手機產量雖然2000年在台灣的占有率達一半以上，但不可能每一年都如此，就像1984年台灣的個人電腦市場宏碁就占了一半以上，但現在已經不可能。

沒有兩家公司的關係可以永遠維持不變，做生意就是在某一階段合作時各取所需，而且生意有道義、有一定的規矩，大家照著規矩來做，就像早期我們替誠洲設計終端機，請台達代工，以及後來我們跟德儀的合作關係，都是在某一階段互相槓桿運用對方的長處。

隨著時間的變化，雙方也會各有想法，合作關係產生變

化，但重要的是，在這個合作過程中，有沒有得到你該得到的東西，例如你幫人家代工，有沒有在過程中學習到技術、量產能力與品管。

▌分家，各擁一片天

宏碁分家，以及明基另創BenQ品牌，對明基的影響有正有負。負面的影響是初期在銷售通路會有一些衝突，因為宏碁不希望他們的通路銷售明基的產品，而且兩個品牌在初期也會有一些混淆和誤會。

正面的效果則有很多。第一個好處是，明基可以獨立，發展策略可以自己作主。第二，他們可以塑造一個比較有利於自己的形象，不再受制於宏碁。這兩個是最主要的好處。

第三個好處是，明基與宏碁分家之後得到許多人才，因為原先在宏碁負責銷售明基產品的人員都劃分到明基去，包括行銷和業務人員。

第四，明基可以借力使力。原先明基已經有相當大的營業額的基礎，分家之後業務很快就做起來，尤其在台灣跟大陸，宏碁早就放手給明基自己管行銷，所以明基已經有暖身，美國實際上也算是在分家前就放手給明基管，只有歐洲跟東南亞不是。

明基另創BenQ對宏碁的影響也有好幾項。

第一個好處是，不必再為了明基的產品線，天天在內部爭執誰對誰錯。第二，本來宏碁的液晶顯示器是由明基生產，掛宏碁的品牌，分家後明基把產品拿回去自己賣，但是

因為宏碁品牌的液晶顯示器在通路已經有一段時間，所以影響不大，2003年第四季宏碁液晶顯示器的銷售額在歐洲市場上是第一名。第三，宏碁原來的管銷費用偏高，分家後有一些人轉到明基去，可以幫助新宏碁降低人事成本。

■ 品牌路，誰勝出？

李焜耀對品牌的企圖心很強，我當然可以了解，如果有一天明基的品牌能夠贏過宏碁，可能就是他最大的滿足。

明基打品牌，有宏碁過去的經驗做參考，一開始就有很好的基礎，資源也夠，所以明基現在的表現，包括形象的塑造、員工的士氣、通路的信心都算是做得非常好。打品牌牽涉到太多事情，如果只看品牌形象的塑造這一部分，明基能在這麼短時間做到現在的成績，而且表現得很專業，可以算得上是典範。

以後是否可能出現第二個這樣的典範，實在很難講，因為明基有特定的歷史背景和條件才能夠達到這樣的成果。平心而論，明基打自己的品牌是占了宏碁一些便宜，包括原來在國際上的人力以及一些業務，還有就是經驗。

經驗是很珍貴的，二十幾年來明基看著宏碁打品牌的做法，所以明基在打品牌的起點所具備的能力，遠高於二十幾年前宏碁剛開始在國際打品牌時的能力。

根據明基研展和製造的能力，以及是否有資源來塑造品牌做更大業務的能力，從這兩點來看，明基能不能表現得比現在更好？當然可以，問題的癥結就在於明基的國際化人才

以及外圍的通路組織還有待養成。

　　嚴格的說，即使宏碁也只有歐洲和東南亞市場的發展比較成熟，大陸待加強，而美國還早。明基在美國比宏碁更沒有基礎，歐洲則是有個很強的競爭對手宏碁；至於大陸和台灣，明基的表現就比較好，因為好幾年前王振堂就放手給他們經營這兩個地方，而且明基在大陸有設廠，也有幫助。

　　整體來看，明基打自有品牌，在品牌形象塑造和產品線方面都沒有問題，但是通路管理的能力仍待培養，這需要很長的時間。

　　在現階段，明基可以兼顧品牌和製造，長期而言，可以參考三星的經驗，因為明基走的是三星的路線，兼做製造和品牌，宏碁則走戴爾的路線，沒有製造。

■ 借鏡三星經驗

　　三星目前其實是以企業對企業（B to B）的業務為主，以DRAM和液晶顯示器為兩大主流，兼及其他產品。在企業對消費者（B to C）的品牌方面，過去三星做傳統電視等家電的品牌不強，雖然產量很大，但形象還是不行；在電腦方面，除了監視器還有一點名氣之外，其他領域三星在國際上可說是沒沒無名。

　　雖然三星在韓國壟斷市場，其實目前三星的品牌只有手機已經建立很好的形象；當然未來的液晶電視也有可能建立強勢品牌，因為三星的液晶顯示器技術領先全球，所以現在大尺寸的液晶電視永遠都是他們最領先。

　　我們不得不佩服三星的成功，無論韓國的企業文化如何，或是其他因素，三星畢竟是真刀真槍贏了這場競爭。三星的成功有兩個主要因素：一個是技術領先，三星在液晶顯示器、DRAM、分碼多工（Code Division Multiple Access, CDMA）上都是技術領先；第二個成功因素是規模，三星幾乎每項產品的規模都是世界第一。

　　很多美國公司的技術領先，這對品牌和形象有幫助，尤其是對 B to C 的品牌很有助益，但是光靠技術領先沒有用，規模才是長期的競爭力，有規模才能壓低成本，三星就能夠兼顧這兩者。

　　從這個角度來看，明基有沒有機會趕上三星呢？如果以十年的時間來拉近雙方的差距，我想應該是可以預期的，除非三星真的比我們厲害太多。但是如果要真正贏過三星，十年恐怕不容易，因為現在的差距不小，除非三星犯錯，否則如果以正常的進度，十年之後能夠跟三星相提並論，把規模的差距縮小到一倍以內，就已經很了不起了。

　　如果把時間拉長到二十年來看，變數實在太多，很難預測。也許三星碰到某種變化，沒有做好變革管理，結果整個經營完全垮掉，這種事情實在很難講，所以未來很重要的就是變革管理。戴爾並沒有進行過大規模的變革管理，三星和明基也都沒有真正太大的變革管理，明基雖然沒有進行過變革管理，但明基多多少少有宏碁的 DNA 在裡面，宏碁的變革成功經驗則在國際上略有名氣。

　　現在明基在大陸市場展現與三星對決的態勢，這個企圖心沒有壞處，只是自己要很清楚雙方的規模實在還有相當的

差距，不過並非勢不可為。液晶顯示器是新的產品，三星發展了很多年，後來友達加入，發展的時間比三星短得多，但現在已經跟三星達到同一個水準，所以完全是看企業如何在變化裡掌握機會。

產業的變化實在太快了，像台灣製造業的第一名也換得很快，宏碁當過一年第一名，台積電也當過，現在是鴻海。

▍國際化行銷的規模管理

以技術領先跟規模這兩者來看，台灣在技術方面進步得很快，但是國際化行銷的規模管理對台灣是一大挑戰。過去台灣多半是做代工，對於B to B的管理沒有問題，但是B to C的規模管理就欠缺經驗。

B to C的規模管理，一種是靠產品的競爭力，一種是靠國際化的行銷管理，當然最好是兩者兼備。索尼在國際化B to C的規模管理很有經驗，但是現有的模式面對未來低毛利的情況可能就會面臨一些挑戰。

三星曾派人來調查宏碁二造的情況，他們到歐洲去，發現宏碁在歐洲各地的負責人全都不是台灣人或華人，但是三星在歐洲所有國家的總經理都是韓國人，跟日本公司的做法一樣。影響規模管理的因素很多，當地化就是其中最基本的。做B to B不一定要當地化，但是做B to C，尤其是規模很大的，就必須要當地化。

即使三星的B to C規模管理也不算有效，三星只有在技術領先、產品領先，使得規模管理簡化的情況下，才做得比

較好。

三星手機的 B to C 品牌很強，靠的是技術領先，他們採用的 CDMA 技術競爭者很少，競爭者的技術也不強。此外，他們的主要市場只有韓國跟美國，因為只有這兩個地方大規模採用 CDMA 系統，市場單純可以簡化他們的規模管理。

日本公司的國際化行銷管理不是很好，但是因為他們把競爭對手都逼出局，獨占市場，所以管理不好也沒有關係。

如果不是像三星和日本公司的情況，純粹是硬碰硬的在國際行銷方面競爭，就必須做到有效的當地化行銷管理，其中管銷費用要低、彈性夠大，尤其在變化多端的市場裡，這兩點特別重要。

我相信現在宏碁已經具備這兩項條件，擁有 B to C 中型規模的國際管理能力，希望未來能擴大到大型規模的管理。當然，目前宏碁的規模管理能力並不是全面性，美國市場還不行，大陸仍待加強。

▋ 務實才能細水長流

李焜耀拜訪過三星幾次，每次回來都很讚許他們的一些做法看得很長遠，具有前瞻性、有遠見其實很簡單，通常需要兩個條件：一個是本身資源很雄厚，否則就會坐吃山空；第二個條件是有穩定長期獲利的事業，而第二個條件才是最重要的關鍵所在。

宏碁當然也有前瞻性，也有遠見，一直在做長期規劃，但是只要本業的獲利不穩定，所有的計畫都必須立刻修正，

所以資源雄厚其實沒有什麼用，因為投資愈大，包袱也愈大，就看你的資產是否能承擔得了你的包袱。承擔得了就表示其他的事業都很順利，一旦不順利該怎麼辦？如果不能繼續投資，就前功盡棄，或者賤賣也是半途而廢。

做規劃很簡單，真正在執行時，卻可能會經歷事業的起起伏伏，這是很現實的問題。但是也不能因此而放棄長期計畫，只是在執行時必須很務實，因為宏碁垮了就是垮了，即使有再高的理想也沒有用。所以有問題還是要解決，就算別人可以幫忙解決，例如銀行不抽銀根，自己的本質還是要好，靠自己努力反敗為勝才能永續經營。

李焜耀並不是不務實的人，至少他看過宏碁的經驗，而且我現在如果看到他們的發展上有影響到根本的事情，還是會提醒他重要的盲點；至於小盲點就沒有關係，他有能力克服，禁得起吃點小虧。

宏碁經歷過的大盲點，明基都不會重蹈覆轍，例如宏碁跟德儀技術合作的模式不理想，李焜耀已經看得很清楚了，就不會犯同樣的錯誤。像他做創投，規模都很小，應該都經過精打細算，投資失敗也不會動搖根本的。李焜耀雖然雄才大略，但也會精打細算。

■ 明基的挑戰與未來

明基未來的發展，最重要的還是跟友達的互相拉抬，也就是明基必須掌握未來顯示器和電視機的發展。電子產品未來應該只有三個主要產品，液晶電視機、個人電腦和手機。

只有這三種產品都是以億為單位的，經濟規模夠大，其他產品都是配合這三種產品的。

液晶電視機的市場還沒有真正起來，價格仍然很高，目前液晶顯示器也還沒有那麼大規模的生產，但是只要第六代、第七代的液晶顯示器動起來，自然就會帶動電視機的市場；正因如此，索尼才會跟三星成立合資公司生產液晶顯示器。

另外，生產液晶顯示器的奇美電子和廣輝也都供應產品給關係企業生產液晶電視，就像友達供應液晶面板給明基生產液晶電視一樣。

明基還必須掌握一些電腦的產品。現在家用市場分成兩塊，一塊是電腦，一塊是電視，比較簡單，但是未來電腦跟電視必須相容，要整合在一起，買個人電腦不能用來看電視，或者買電視不能跟電腦連，都講不通。

然而目前明基的品牌形象主要是以一般消費者為主，尤其是手機，如果轉成以個人電腦為主的公司是不利的，以企業為銷售對象也會很吃力，所以明基跟宏碁的做法會不太一樣。明基是由電視擴及電腦，他們的電腦可能是為了影音（AV）的目的，例如明基筆記型電腦的定位是「資娛中樞」（digital hub）。

宏碁的做法與明基相反，是由個人電腦兼及電視，我一直堅持宏碁應該是資訊科技（IT）的公司，絕對不能讓外界定位成消費性電子公司。宏碁的自有品牌是先把本業的個人電腦做好，然後再多元化，多元化的第一步是跨足監視器，進行得很順利，但是接下來涉足電視機市場就有很大的挑戰。

當然宏碁的策略不會直接從電視切入，而是推出能用來看電視的監視器，定位成多功能監視器（multi-functional

monitor）。順著這個方向發展下去，自然就會做到電視，這樣的多元化就不會變得太快。

宏碁跨足監視器的進展很快，因為監視器的通路跟個人電腦原來的通路是一樣的，只是多提供一種產品給他們，可以槓桿運作現有通路的基礎架構（infrastructure）。賣電視卻不一樣，賣電視的地方要展示幾十部電視，而如果我們的電腦店裡只擺一部電視，整個環境都不一樣。我們的多功能監視器目前還是在原來的通路裡銷售，然後慢慢再找新的通路。

另外，桌上型電腦也可以槓桿運用宏碁現有強勢的筆記型電腦通路，目前我們桌上型電腦的規模仍然太小，還有很大的成長空間。

台灣的筆記型電腦供應商很強，我們槓桿運用他們的競爭力來打仗，桌上型電腦的情況不太一樣，台灣的主機板供應商雖然強，但都是賣給螞蟻雄兵般的全球各地廠商組裝，所以在台灣桌上型電腦的產業結構裡，系統廠商不夠強，我們無法槓桿運用他們的能力。

後來我們選擇了鴻海，靠他們就近在各地市場供應我們桌上型電腦，先是在大陸，然後到歐洲。

明基的成長引擎

明基現在憑著他們的規模和製造的優勢，加上友達的拉抬，未來的發展會很迅速，我支持李焜耀這樣一直走下去，他們整個經營團隊有這樣一個發揮的舞台是好事。明基和友達在2004年的規模各約兩千億元，合計可以達到四千億元，

在台灣算是數一數二的企業集團，所以李焜耀的布局可以說是動能（momentum）很足，而且相當多元化。

也就是說，明基有好幾個推動成長的「引擎」，其中一大引擎就是友達的液晶顯示器，也可以說是顯示器及電視機相關的產品。友達無論是資本額的累積或營業額的規模，將來在台灣會是數一數二的，成長速度會比台積電還快。

明基的另一大成長引擎是手機，或者更廣泛的說，不只是手機，而是BenQ這個品牌是一個很大的引擎，甚至可說是明基最大的引擎。

目前明基最大的問題還是在國際市場，包括美國和歐洲都要面對挑戰。美國的問題尤其困難，目前在美國連宏碁也不行，明基想要異軍突起不容易，因為在美國產品和管理能力都要很強，這個挑戰最大。我個人認為，這個問題明基目前恐怕還沒有解決之道。

明基在東南亞雖然落後宏碁一點，不過差距不大，至於在中國大陸，明基的表現並不輸給宏碁。

緯創短期的問題就是如何能夠站穩腳步。之前緯創忙於轉型，現在期望2004年能夠落實高成長，先建立一個基礎，才不會落後太多。所以2004年緯創一定要站穩筆記型電腦第三名的位子，才能有長期的發展。緯創多元化產品的優劣勢其實是一體的兩面，緯創不得不更專注，也就是增加同樣產品的規模，這正符合我們二造「單純」、「專注」的主軸。

目前緯創和競爭對手正處於不同的企業週期（cycle），現階段的緯創必須專注，而競爭對手如廣達跟鴻海則因為有高成長的壓力，所以目前都必須多元化，而多元化的有效性

通常比較差，因此，如果緯創好好做，專注把這個週期做好，就可以創造短期的利基。

■ 轉型中的緯創

緯創現在最大的挑戰是，必須達到專業代工的效率和水準。二造分家時，宏碁科技合併了宏碁電腦的RBU，合併之後宏科為存續公司，宏電為消滅公司，但是因為品牌的緣故，新公司反而承接了宏碁的名字。

宏碁電腦的主體其實是由緯創承接，他們延續了宏電的研展製造和B to B的行銷，由於宏電在製造方面的競爭力尚不如專業的代工公司，所以分家後的緯創初期在製造方面的表現也不太理想。

惠普、IBM之類的系統公司在製造方面都比不過專業的代工公司，因為製造只是他們的一環，宏電也一樣，即使宏電替別人代工，也不全然是靠製造效率的優勢。早期宏電都是採取少量多樣的生產模式，機種很多，利潤率很高，大量生產的都外包給台達做。

早年國內很少有廠商具備比較高級的生產技術，有電腦量產能力的大概也只有宏電，後來才是明基。在電腦產業裡，宏碁在製造方面是最早的，但絕對不是最專業的。宏電的製造當然比美國、日本的公司強，但是跟台灣的公司相比，宏電的製造並不特別具有優勢。

宏電在1992年到1996年之間，也就是第一次再造時，製造方面其實有很大的改善，當時營業額高度成長，生產力

也大幅成長。但廣達、仁寶等以純製造為出發點的公司興起，並且慢慢提升技術能力之後，在生產效率方面後來居上，超過宏電。

緯創現在要轉到純設計代工的模式，成本效益及速度等各方面的要求比過去高得多，緯創必須花很大的精神慢慢調整製造文化。分家後緯創的生產效率已經有進步，不過跟專業製造的水準還是有一點差距，目前管銷費用仍然比競爭對手高一點。

大約在2000年時我們就注意到這個問題的重要性，因為現在利潤率很低，降低製造的管銷費用就變成緯創很重要的課題。明基以代工起家，從成立開始就斤斤計較各項成本，所以比較沒有這個問題。

從另外一個角度來看，緯創的製造規模遠不及明基。雖然兩者的營業額差距不是很大，而且兩家公司產品線的利潤率也差不多，但是緯創生產的電腦裡面有很多零組件都是向別的廠商採購，例如中央處理器和記憶體，明基的產品並不是這樣。

也就是說，緯創的營業額雖然高，但是製造所產生的附加價值卻低於明基的產品。

假設電腦的製造成本占2％，明基的產品如鍵盤的製造成本可能占10％～20％，監視器可能占5％～6％。如果緯創和明基的營業額一樣，明基的製造規模就必須是緯創的三倍、五倍。

因此，緯創和明基的規模雖然都很大，但是明基的製造規模遠大於緯創。這也是明基要用那麼多人，而且必須率先

外移的主要原因。

▋ 緯創的未來商機

緯創還在轉型的過程中，2004年對緯創而言是很關鍵的一年，前半年跟前一年同期比較，成長得很不錯，接下來就是要維持成長的動力，在主力戰場上進入一個贏的模式，如果不能穩下來，內部員工的信心就會受到影響。

現在很多產業，如IC設計都很缺人才，如果我們的利潤不夠，配給員工的股票不足，就不容易留住人，變成惡性循環。緯創在獨立的過程中，宏碁提供很多誘因來留住員工，早期是讓員工低價認股，上市後還有認股權證，但是長期緯創還是要靠自己才行。

緯創現在等於是要先建立別人已經做得很成功的模式，把規模擴大，變成一個獲利比較好的模式，再以此為基礎掌握新的機會。現在緯創集團裡有一些比較小的產品線是很有潛力的，但規模還不夠大。

在緯創集團裡面，啟碁算是做得比較順利的，日本開發的PHS（personal handyphone system，低功率無線通訊系統）為他們帶來很大的發展空間，現在很多廠商都進入這個產業，但啟碁已經站穩領先地位，而且他們的天線、衛星接收器在台灣都取得數一數二的地位。第一名的規模是很重要的，啟碁能夠掌握幾個第一，所以發展比較順利。

同樣的，未來緯創選擇在哪些領域追求第一的地位是非常重要的，緯創不能只選擇利基市場，而應該要在主流產品

裡尋找機會，取得領先的地位。就像一齣戲裡往往不只一個主角，而是多個主角，或是有第一主角、第二主角，成為主角之一很重要的，如果只是擔任配角就不理想。

目前在電腦領域裡有兩個比較大的機會，一個是進入影音的機會，「數位家庭」（digital home）的商機很大，但是這個大家都在注意；第二個機會的技術層次比較高，屬於伺服機及儲存（storage）設備的領域。伺服機及儲存設備是以企業為銷售對象，台灣有條件進入這個領域的廠商不多，緯創有這個條件。如果要進入這個市場，除了本身的技術能力之外，也要能配合客戶的需求，這一塊也有很大的商機。

■ 林憲銘的挑戰

二造分家之後，林憲銘擔任緯創的董事長。林憲銘原來在台北早期一家科技公司做研究發展，當年台北市中山堂地下停車場的電腦收費系統就是那家公司設計的，他也有參與那個計畫。林憲銘加入宏碁初期做的是業務，那時公司正打算拓展台中和高雄的業務，因為他是台南人，所以願意南下高雄開拓業務，同時也在宏碁的微處理機研習中心擔任講師，所以他的技術背景也很強。

林憲銘在宏碁做過業務、採購、物料管理等，本來他跟施崇棠分別掌管個人電腦事業群和電腦系統事業群，施崇棠離開宏碁之後，這兩個事業群合併，全部由林憲銘來管。林憲銘原先擔任宏碁電腦總經理，二造分家之後，成為緯創資通董事長。

　　林憲銘領導緯創，必須面對幾個挑戰。首先，緯創裡有很多人才當初是衝著宏碁品牌而來，分家後緯創沒有了品牌，他們難免會有失落感。第二，以緯創的轉型來說，把船穩住的任務已經達成了，接下來還必須追求更高的成長、更高的利潤，否則會影響內外部的信心。只是緯創轉型前的客觀條件並不很理想，管銷費用比同業高，所以會比較辛苦。

　　宏碁和緯創最困難的時候應該是在2002年的第一季。2000年年底宏碁電腦正式宣布要分割研製和自有品牌，但緯創正式成立的法律程序要到2002年2月才完成，這段期間正是青黃不接的時候。

　　對宏碁而言，當時廣達、仁寶等供應商還不太敢支持宏碁，因為緯創獨立的法律程序尚未完成，而且明基又另創BenQ品牌，與Acer的品牌衝突。對緯創而言，他們的人到外面跟客戶談緯創要獨立，客戶也不太敢相信。

　　那時宏碁的產品沒有競爭力，而緯創的業務推展得很不順利，慢慢到2002年的下半年開始才有一點成績，2003年整年都做得不錯，之後就慢慢上軌道。

　　宏碁分家到現在，明基是穩當的，宏碁也穩當了，緯創雖然比較辛苦，但至少初步已經很辛苦的轉型過來，有了不錯的成果。當然個別公司可能都還會有一些挑戰，但整體來看，成長的情況只會比過去多，不會少。

　　宏碁過去曾有過高峰，未來也還會有，如果不是我2000年年底決定推動宏碁的第二次再造，就不會有現在的高峰，這是大家一起努力得來的成果。我應該算是幸運的，在ABW家族現在的這個高峰退休。

王道心解

從開始管理未來

　　企業所創造的價值，不能只從金錢的角度來看；在西方，最近便提出「三重底線」（tripple bottom line）的觀念，認為應該從經濟、環境、社會三方面，評估企業創造的價值與影響。

　　然而，回到東方，在王道精神下，更進一步提出六面向的思維──直接／間接、有形／無形、現在／未來，從這六個面向計算企業的「帳」，所獲得的結果才能真正反應企業競爭力與影響力。例如：一家在「錢」上大量獲利的公司，卻造成環境汙染，這筆帳怎麼算？

　　所以，評估企業的方式，必須是全面的、長期的、動態的；如果觀察的面夠廣、週期夠長，或許就能發現，許多觀點將會不同。

以終為始

　　宏碁與德州儀器合作，成立德碁，投入 DRAM 發展，就是其中一個例子。

回顧當年，台灣半導體產業的發展，因為個人電腦（PC）發展得太快，DRAM供不應求，開始出現希望台灣自己製造DRAM的聲音，以滿足製造的需求。

對於這段過往，我不想從PC產業的需求來思考；我的觀點是，台灣原本就應該投入半導體產業，且必須有足夠的需求量支撐，才得以讓業者獲利生存。

DRAM，就是一個切入點。於是我找來德儀合作，請它技術移轉，並且把重點放在人才訓練。後來，德碁以德儀的技術底，設備、生產效率、良率，都是當時台灣最好的。

在策略面，我的目標已經達成。只是，一方面，DRAM供需不平衡，往往虧本也要賣；其次，三星坐擁雄厚資金，即使供過於求仍持續投資，而美國則是不賺錢就放棄。於是，德儀因DRAM技術較落後，造成營運虧損，就決定退出DRAM市場，由宏碁收購股權，希望轉型成代工模式。

只可惜，後來依舊力有未逮，因為過去德碁只有單一產品大量生產的經驗，有別於代工服務的文化，只能先邀請台積電入股，並由他們主導，最後促成台積電併購德碁。後來，台積電又併購世大公司，使得世大人才出走，造就中國大陸的中芯半導體。

算總帳就不虧

宏碁在DRAM的投資所創造出來的隱顯總價值，其實很符合王道精神。

　　過去，宏碁的半導體事業版圖，包含：IC設計的揚智、DRAM廠德碁、測試廠宏測科技以及封裝廠台宏半導體。其中，德碁的規模，並不輸給台積電、聯華電子，名列台灣前三大半導體廠；德碁從德儀引進最先進的技術，培養很多製程的人才，初期獲利不少。

　　後來，因德儀技術跟不上，再加上產業競爭而虧損累累，德儀最後退出DRAM市場，由宏碁承接股權，希望將德碁轉型為晶圓代工廠，並請台積電投資30%股權。但後來因不得要領，由台積電100%併購經營，宏碁換得台積電股票而獲利。

　　宏碁在這個案例中，除了獲得顯性的資金投資報酬率，也得到人才培養、帶動產業發展的隱性價值，以六面向價值總帳論來看，對宏碁來說德碁是個不錯的投資。

賺到一流人才

　　因為德儀與宏碁已經有過德碁的合資經驗，當他們有意出售筆記型電腦部門時，副董事長還專程飛來台灣，問我有沒有興趣收購。本來我沒有興趣，但當他對我說：「如果我付你錢，你願意幫我接收過去嗎？」這樣的交易模式，我還是第一次聽到。

　　後來，德儀果然補貼宏碁大約一億美元，比原本預計的金額，還多出三、四倍。只是，這些錢，後來又全部「吐回去」了。

　　宏碁決定收購德儀的筆電部門，並不是為了貪便宜，而是經過思考，量力而為的舉動。

　　在那個年代，歐美的一流人才，只願意為歐美公司工作，除非你已經變成世界級的跨國企業，否則他們會覺得很沒有面子，在朋友面前抬不起頭。當時，即使是日本公司，在歐美也只能找到二流人才加入，至於台灣公司，情況更糟，只能聘請三流人才加入。

　　但是，德儀是世界級的公司，網羅了歐洲的一流人才，宏碁透過這次收購，為集團注入新血；再加上企業本身的王道文化，把這些人才視為合作夥伴、一起開創事業的搭檔，而不是世俗的雇傭關係，使得這些人願意留下，一起開創未來，也成為我們2000年後轉型的核心力量。

　　我的觀念，原本就是「全球品牌、結合地緣」；要借重當地的能量，就要讓當地擁有決策權、所有權，這也符合王道思維中利益平衡的概念。因此，如果算六面向價值總帳，宏碁或許在財務面的有形價值沒有獲利，但在人才面的無形價值卻有很大收益。兩相綜合，算是成功的併購。

CHAPTER 2
鮮活新思維

「天行有常，不為堯存，不為桀亡。」（《荀子‧天論篇》）

面對全球激烈的競爭，

隨時做好變革的準備，

才可能在變動中尋求利益平衡，

進而實現永續經營。

第六章

變革管理

成長是有極限的，於是需要變革管理。
只是在變革的初期，公司仍會向下走，
直到變革成功才會再度成長。
當然，變革也有失敗的可能。
如何面對？王道思維有答案，
就是要懂得動態平衡的概念。

　　成長是有極限的，不只是企業，任何事業的成長都有一定的極限。如果沒有進行長期投資，就會碰到極限；如果進行了長期投資，但因為客觀因素有了變化，成功的典範已經轉移，而你還是照著原來方式去做，沒有做變革管理，這樣也會碰到極限。因此，要突破長期的極限就必須做兩件事，一個是長期投資，一個是變革管理。

　　面臨困境時，如果不做變革管理，少數公司還是可以繼續生存，多數公司遲早會被淘汰（見圖6-1）。即使有進行變革管理，公司初期還是會往下走，但是如果變革成功，就會再度開始成長，延續企業的生命，成長曲線呈現兩個S形，當然，變革也會有失敗的可能性（見圖6-2）。

　　宏碁經過兩次變革，成長曲線圖有三個S（圖6-3）。這不是我發明的，一般學術界本來就有所謂的「多S成長曲

圖6-1　企業未做變革的情況

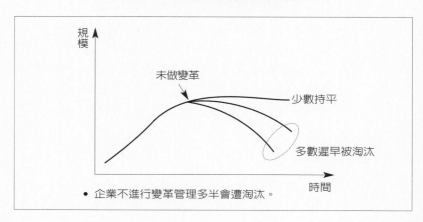

規模

未做變革

少數持平

多數遲早被淘汰

時間

● 企業不進行變革管理多半會遭淘汰。

圖6-2　企業進行變革的情況

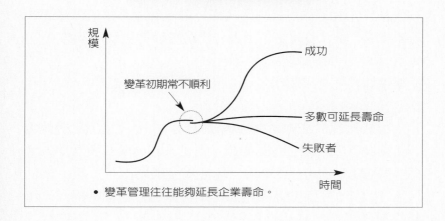

規模

變革初期常不順利

成功

多數可延長壽命

失敗者

時間

● 變革管理往往能夠延長企業壽命。

圖6-3　宏碁的多S成長曲線

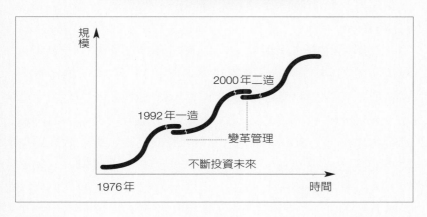

規模

2000年二造

1992年一造

變革管理

不斷投資未來

1976年

時間

線」，教科書所談的內容我並不是很清楚，我只是藉這個曲線說明兩個要點，一個是從時間軸不斷長期投資，第二個就

是在典範轉移的時候進行變革管理。

　　關於成長，往往有兩個迷思，第一個迷思就是直線性的思考模式，第二個就是相信過去成功的老套會一直有效。

▓ 直線成長的預期

　　一般人對於成長的預期都是直線式的，也就是成長會一直持續下去，我也會這樣想，這是人性。成長固然令人欣喜，但是也有痛苦，因為成長的極限很難突破。

　　2002年6月張忠謀在台灣玉山科技協會演講時提到，台灣的經濟成長已經接近現存制度下的極限，假如不進行改革，經濟發展將碰到成長的極限。後來前總統李登輝先生在接受媒體採訪時表示不同意這種說法，他認為台灣的成長沒有極限。

　　這兩人的想法南轅北轍，不過如果以實際的情況來看，現在我們的國民所得確實還在「碰壁」，已經多年維持在一萬兩千、一萬三千美元左右的水準，沒有成長。

　　大約十年前，我們的國民所得是一萬兩千美元，當時政府說希望到西元2000年時要達到兩萬美元的水準，政府這麼說不能說是沒有知識，而是低估了成長本身的挑戰。一般來說，大家都是直線思考模式，所以我常常以國民所得為例，當時政府說成長沒有極限就是直線式的思考模式，這是最大的問題。

　　人的思考模式都是直線性的，直線比較容易想像，但是實際上發生的事情都是指數式（exponential），或者是會達到

飽和的,直線的反而不是常態。

　　指數式成長的情況是,在發展初期,成長往往比預期慢,但是長期來看,後面的成長會比預期快,所以前面的發展會被高估,後面則會被低估(圖6-4)。因此如果做對了,成長擋都擋不住,但是如果做法流於老套,那麼再怎麼努力還是萎縮,就像我們的國民所得,這麼多年來就是沒辦法突破成長的極限。

▓ 相信過去成功的老套

　　成長的第二個迷思就是相信過去成功的老套。有人問我,現在不確定因素那麼多,怎麼做決策?事實上有很多因素是確定的,例如經營事業要有誠信、高科技公司要創新,

圖6-4　指數式的成長

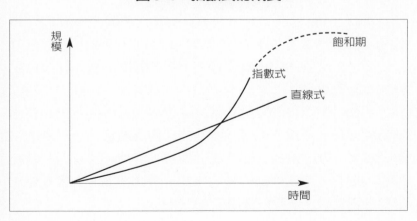

這些都是不變的，只不過今天的創新和明天、後天的創新所用的方法不同，目標也不一樣。

像宏碁現在也在變，過去用技術創新，現在用別的方法來創新，但不變的是，將資源集中在核心事業。宏碁的變革管理講求簡化、專注，所以要淡出非核心事業，我們就是朝這個方向進行，這是不變的，只是如何執行是可以變的。

我們可以從過去的成功經驗裡找到很多不變的原則與基本精神，只是在推動這些原則時，會因為時空不同、公司本身規模不同、產業不同甚至文化環境不同，而採用不同方式，才可能有突破和發展。

一般來說，在成長過程裡，內外部環境都在變化，有些人稱之為成功典範的轉移。我所提出的微笑曲線，就是對外部變化的觀察和因應。

過去經濟的成功典範是垂直整合（vertical integration），到了 1990 年代初期，因為產業發生一些變化，我觀察到美國開始提倡分工（disintegration）。

當時，《哈佛商業評論》雜誌提出「不製造電腦的電腦公司」以及「無晶圓廠的半導體公司」的概念，這就是分工，這是對美國的定位提出發人省思的警語，或是說，這是對未來的預測。

他們看到環境的變化而做出這樣的預言，而我也觀察到環境的變化，所以認為當時成功的典範會轉移。由於價值已經轉移了，管理的成功要素也會轉移。當然，還有一些外在因素的變化，像是台灣的勞力不足、成本提高、台幣升值、環保意識升高，這些是整個環境的變化。

其實還有一些客觀環境因素是不變的,有些客觀環境的變化已經無法逆轉,有點像是直線式的發展。對很多台灣企業來說,不會逆轉的變化包括民主發展、環保意識抬頭,還有人力成本提升,這三大因素反而成為不變的原則。

全球都已經有環保意識,你還對抗它就是不對;員工都希望提高薪水,改善生活品質,你卻還在抱怨台灣薪水太高,勞工不敬業,不願意加班。既然這些發展都是不會改變的,你就應該接受這些情況,然後進行變革管理。

我要特別強調,當你抓住那些不變的原則和精神時,反而會變得很有彈性。外在的不確定因素那麼多,只要能堅持不變的原則,就不會在乎外界怎麼變,它怎麼變我就怎麼反應,這是很重要的。

另外還有內部的因素,就是組織複雜化,內部的衝突變多,管理變得很難,效率變差,這時也要面對變革管理。

變革管理的思維

內外部環境變化時,就要進行變革管理,所謂的變革管理就是不可能用同樣的做法過一輩子。我的觀念是,要在「老套」還能賺錢時趕快想「新套」。

宏碁進行第二次再造(二造)時,最大的幸運就是我當時擁有很多資源,因為老套短期內還能生存,而且還有很多現金,可以讓我安心進行二造,等於是在我體力還行的時候開刀,等我體力不行時才要開刀,就變成雪上加霜。

在事業巔峰時就要想下一波,就像國家發展到一個階

段，就要想下一個階段該怎麼發展，在有一點點感覺會碰到壁時就要警覺，不能等已經碰到壁了才想接下來該怎麼辦。

變革管理和危機處理有一點不同，變革管理是處理內部的經營危機，是外部的變化影響到內部，凸顯出內部的問題；意外發生的情況則是危機，是突發事件。兩者都要面對現實，變革管理是處理長期危機，危機處理是屬於短期，要面對現實很快處理，短期危機沒有馬上處理也會演變成影響非常大的衝擊，甚至慢慢致命。

變革與改善不同，前者改變的幅度遠大於後者，而且改善是直線式的，遵循的還是原有的方向，變革管理則是跳躍式的。朝對的方向改善沒有問題，但是在外界變化很大、方向已經不正確的時候，仍然只進行改善，而沒有大幅度變革，就會不得要領。

日本人早期比較常追求改善而成功，但90年代的發展靠其不斷改善的經營之道卻不太成功，就是沒有抓對方向。

持續進行改善並不表示無須變革，只是可能可以避免變革，像IBM是二、三十年才做一次大的變革管理，換外人接任CEO。變革管理一般都要換CEO，不是換人，就是換腦袋，換了腦袋就等於換了一個人。我在推動再造時，改變觀念和做法就是換了腦袋。日本沒有真正再造比較成功的案例，就是因為他們腦袋沒有換，人也沒有換，這個是文化的問題。

再造（reengineering）這個名詞是1990年代初期出現的，也就是因為有那麼大的變革才會有再造，才會有外包（outsourcing）、調整最適規模（right sizing）、精簡規模

（down sizing）等各種不同的名詞出現。

如果要再造，就必須面對現實，日本的文化在這方面比較做不到，比如說日本的經濟為什麼會復甦那麼慢，就是因為銀行不敢立即打消不良債務。但是宏碁往往是第一個面對現實採取行動的，我們在2001年打消四十一億台幣的壞帳，後來國內銀行整頓時，也開始打消呆帳。

通常公司愈大，再造所需的時間愈長。宏碁有很多動作都是變革管理的過程，像是代工和自有品牌分開，德碁跟台積電先進行策略聯盟，然後被台積電併購，達碁合併聯友光電成為友達，還有國碁被鴻海併購。當初標竿學院楊國安院長說我們二造三年可以看到成效，結果我們兩年半就正式公布二造的成果，而且成果比預期好。

▌變革的時機與方法

變革管理啟動的時機很重要，抓住恰當時機進行變革比較有效。時機是否恰當，第一個可以看營運數字，數字不好了就是時機。第二個是外面的壓力，外面的壓力可能來自輿論界或投資大眾，最後才是來自董事會。不過一般來講，靠董事會的壓力來促進變革管理在美國比較容易，在台灣很難，台灣的董事會幾乎都不會給CEO壓力。

除了時機，變革管理的方法也很重要。變革管理往往要靠自己，顧問可能給你一些概念，提供多一點選擇，但幫不上太大的忙，最後還是要由自己決定如何進行變革管理。

宏碁在一造時找過麥肯錫顧問公司，後來放棄了。準二

造時也曾找他們協助改善全球運籌流程，但是由研製到服務的整個流程太複雜，實在不容易徹底執行，他們也沒有辦法提出太多良方，因為我們本身選的題目就不對，自有品牌和代工並存的衝突根本就是無解。

要選什麼題目應該由我們自己決定，顧問只能告訴我們這個題目有哪些作答方法，但是他們有時甚至不曉得我們的狀況，就好像他們建議我參加某項比賽，但其實我體能不行，根本沒有能力競爭，所以顧問幫不上忙。而且真正執行是要落實到組織裡面，不是靠外界的顧問。

一般來講，把顧問當成助力是可以的，但如果要靠顧問來做變革，已經失敗了一大半。靠自己做變革管理就是要換腦袋，要相信原來的老套已經行不通了，不管你做得多努力，都已經不再有效。有時剛好碰到不景氣，或者說競爭者出奇招搶你的生意，其實這些都是常態，你沒辦法改變這些情況，所以只好改變自己。

▋ 過渡管理

變革管理的前半段要制定新的願景和策略，後半段要做的就是過渡管理（transition management），必須費心費時。

企業再造首先必須要有新的願景，定義什麼是新的核心業務及核心競爭力。宏碁一造當時的主軸，我把它分成三個層面，理念再造、組織再造、流程再造。簡單的說，理念再造就是全球品牌、結合地緣；組織再造就是主從架構；流程再造就是速食店式的產銷模式（一造的做法參見第一章表

1-1，詳細內容參見《利他，最好的利己》）。

　　理念再造、組織再造、流程再造這三個層面都各自規劃一些活動來貫穿，像「21 in 21」（二十一世紀有二十一家關係企業在全球各地上市）是強調主從架構和結合地緣的概念；「群龍計畫」則要培養一百個總經理，是為了分散式管理。這些都是輔助性的做法，目的是為了使再造的力量朝同一個方向集中。然後我又發展出微笑曲線，希望公司能集中精力在專精的領域，追求更高的附加價值。

　　確定了願景和策略之後，變革管理的後半段就是過渡管理。過渡管理最重要的就是溝通和過渡計畫。溝通是把願景、策略等屬於變革管理前半段的內容對公司員工講清楚；過渡計畫就是設計一些化繁為簡或由簡而難的行動來執行，也就是簡單的先做、複雜的慢做，然後由小成而帶動大成，這就是過渡管理。

　　過渡管理的要點在於堅持，除非發現是錯的。如果是完全錯的，當然就不能做下去，但如果只是執行上的信心不足，習慣不容易改變，就必須堅持下去。變革本來就需要時間，就像開完刀需要時間恢復一樣，不能期待有其他奇蹟出現，就是需要那個過程。

　　過渡管理還有一點很重要，就是要持續提供最新的情況，等於是戰況說明，像宏碁在變革初期每個月有書面的進度說明，每一季則是面對面的說明。每一次說明都應該包括過去和現在的情況，尤其是重大的不同，以加深員工的印象，內容包括文化、獎勵措施、價值觀。

　　例如，我們在2000年年底宣布推動二造，半年之後，也

就是2001年6月，我們提出一份進度報告，說明在2001年上半年，雖然整體環境不佳，但是宏電已經展現改革成效。

其中品牌營運事業的營業額雖然較前一年同期減少17％，但是虧損也減少八億元，庫存減少三十九億元，較前一年同期減少52％。研製服務事業在2001年上半年營業額較前一年同期減少36％，但庫存也減少52％。

企業文化的調整也必須明確解釋。比如說，我們以前的想法是子公司好就是我們好，不阻止子公司來母公司拿資源，反正母公司犧牲的還可以從子公司拿回來。但是現在母公司已經自身難保，怎麼犧牲？原有的文化是母公司可以犧牲，至於宏碁自己最大的利益是什麼？並不明顯，賣股票也是利益，但對公司長期沒有幫助，只是讓日子可以過下去。

因此，在這段時間，王振堂身為宏碁總經理真正花最多功夫的，就是建立新的團隊意識。這個團隊意識，不是泛宏碁集團，而是宏碁集團本身的。

企業生命延伸的觀念也要改變。以前大家都叫Acer，當時我希望多一些公司叫Acer可以讓Acer生生不息，幾百個子孫在幾百年後總有一個還叫Acer。

現在我的觀念改變了，能獲利比叫Acer更重要，現在至少還是有Acer集團，只是另外多了幾個名字，像是BenQ（明基）、Wistron（緯創）。如果Acer持續存在但無法獲利，那就變成植物人了，不如結束現狀，另尋生機，就像康柏不能活得很好就併到惠普裡去，這是觀念上很重要的改變。

這是一個完全不一樣的觀念，就像Acer、BenQ品牌分家代表的是新的亞洲價值觀。原本亞洲的文化認為企業應該

盡量多元化，新的亞洲價值觀則應該改為專注、簡化，所以品牌要有關聯性，不一定要在同一品牌下做那麼多產品。

　　世界十大品牌裡只有奇異公司是多元化的產品，其他都是單一化，所以日本的品牌都沒有進入十大，連索尼現在也已落居十大之外。亞洲的多元化文化不利於競爭，如果要創造品牌價值，或是好好經營企業，就要改變原來的觀念，由多元轉為專注，這也是一種再造，再造一個新的觀念。

▋ 執行力是關鍵

　　在推動變革管理的時候，我自己的信心還不錯，因為我本身有改革的意願，不是被逼才改革的。我決定改革方向時，主要是根據客觀因素，包含我對外界的了解，以及我和同仁的溝通。

　　我平常和同仁溝通時，大概都可以掌握一些狀況，我如果要改革，形成共識大概不會太難；或者是說，我已經為形成共識而暖身，大家已經花了半年時間針對某些問題交換過意見，只是沒有做決定而已。

　　所以相對來講，我對每一次改革的方向都滿篤定的，因為我知道我的助力很強，大家都認為你不變不行，只要我變，不管變得對或不對，外界都會支持。再加上我說明清楚以後，只要方向是對的，大家都不會有太大的質疑。像2000年的二造，媒體對大方向贊同而最大的質疑就是執行力。

　　執行力是關鍵，我們的執行力確實面臨很多問題，像Acer跟BenQ品牌的衝突、宏碁跟緯創的衝突，要解決這些

問題並不容易。這些衝突必須要解決，但是如果我隨便講一句話，就可能變得很麻煩。

例如，王振堂說應該向廣達採購某項產品，如果我說一句「不好吧」，就會讓整個再造垮掉；如果我幫他做決定，成敗就變成由我負責。在二造的既定原則下，我只能讓他作主，要給緯創還是廣達，都由他決定。他當然知道緯創好他也好，因為宏碁也是緯創的股東，這個事實不必我多作說明，媒體說我應該出面協調，但我很難說，只能讓他們做。

二造的方向清清楚楚，我就堅持我的原則。我一向很能夠堅持原則，宏碁與明基的競爭，我也堅持我的立場，不需要介入時我絕對不會介入，非常惡性的競爭我才會介入。

例如，媒體報導宏碁和明基的競爭，分別採訪了王振堂和李焜耀，炒作成雙方的口水戰，於是我就寫信給所有記者，把事實說明清楚，並且跟記者當面溝通，說我了解他們有新聞可讀性的考量，但是希望不要太過渲染，請淡化處理。

現在需要我介入的情況已經結束，在變革的過渡時期才有這些問題，變革完成以後，只要照著變革後的方向發展，衝突自然消失。

變革的初期衝突在所難免。幾年來的習慣，不容易一下子改變，以前宏碁和緯創是同一家公司，產品都是自己做，分家之後，應該哪個優先？緯創還是外面的廠商？並不清楚。如果給外面做，要給多少比例？這個也不清楚。

既定的方向是透過外包來提高競爭力，至於是五成還是七成外包，並沒有一定的標準，最重要的是要成功，所以我沒有說幾成外包，我只說可以外包，其他的由他們自己決定。

在變革管理時，我非常用心，點點滴滴的用心。表面上我沒有什麼動作，但其實我是要觀察、思考，該動作的時候才動作。很多人認為我動作很慢，尤其是處理人的事情時，表面上看來似乎是如此，但實質上並非如此。我對事情是很果斷的，該怎麼做就怎麼做。至於對人，我處理得比較和緩，但是該怎麼做，我也是很果斷。

比如說這個人不能用了，我就會把他調開，但是不會給他難堪，除非他對公司不利，這是我的原則。我處理人的原則是，到外面打仗的人回來，做得好的一定要禮遇，做得不好的，也不要隨便給他難堪。

例如美國分公司總經理林森楠在美國三年，讓美國分公司轉虧為盈，成功完成階段性任務，他調回來之後，我們要禮遇他，如果沒有處理好，外派的人回來沒有對的位置，會打擊士氣，目前林森楠擔任的是宏碁資訊產品事業群副總經理，同時選派他參加桑德博（Thunderbird）的EMBA課程，期待他將來能更上一層。

■ 不打輸不起的仗

我從來都不會因為覺得宏碁碰到很大的困難而害怕，因為我不打輸不起的仗。比如說德碁，我已經盡了努力，甚至到後來每個星期我都去德碁上班，這樣一直努力，就算最後把自己輸光了，也希望不會輸到別人的錢，這是我的原則。

我承認輸了，但是我盡全力不傷到銀行，不傷到非股東，我找到台積電入股德碁30％，由他們主導經營，後來

又讓德碁合併到台積電,以投資報酬率來看,德碁的投資還是賺錢的。當然我很幸運找到了台積電幫忙,但是萬一失敗了,我也坦蕩蕩,問心無愧,所以我沒有什麼好怕的。

其實投資就是有風險,德碁雖然沒達成目標,但是整個集團的另外一大部分還是繼續經營,沒有影響到明基和集團其他成員的發展,所以這麼大的危機我都可以處之泰然。

假如我從一分開始做,現在做到五十分,那表示我一直在進步,就是對自己的人生有交代,我自認這是比較正確的人生價值觀。如果要求打仗就一定要贏,或一定要打什麼仗,那是跟自己過不去,我則是有多少資源做多少事情,多做少做都盡力而為。這是為了保護自己,不打輸不起的仗。

我不能說自己可以全盤掌握情況,但是我對大環境、客觀因素大概都能夠比較客觀的掌握。在客觀環境裡不可為的事情,我就放棄,我有能力壯士斷腕;至於可為的事情,我就努力做自己該做的部分,等到時機好轉了,自然就能成功。對於哪些事情該做和不該做,我都清清楚楚,所謂清清楚楚,並不是我一個人唱獨角戲想出來的,而是諮詢過很多同仁而得到的結論。

我的信心來自溝通,因為我要得到助力,必須跟我的同事溝通,要他們也認為這樣可以才行,否則光靠自己是不夠的。我常常講,我當主帥在前面搖旗吶喊,但是後面沒有人跟我也不行,一定要大家都跟著我,要死死在一塊也是壯烈,因為大家願意死在一塊,這是我很重要的一個原則。

第七章

新世紀的
微笑曲線

產業能否成功，
關鍵在於是否取得發展產業的立足點，
然後逐步往更高階發展。
要讓新世紀的微笑更燦爛，
不斷投資未來與變革管理，
將是其中關鍵。

█ 微笑曲線的真義

　　1992年宏碁第一次進行企業再造時，為了改造流程而全面推動「速食店產銷模式」，初期有部分員工不是很能接受新的做法，我為了說服同仁而構思了「微笑曲線」。

　　這其實就是一條說明產業附加價值的曲線，我用這條曲線來說明組裝已經變成電腦業附加價值最低的部分，宏碁應該放棄在台灣組裝，集中精力在附加價值更高的專精領域。當時同仁很能接受微笑曲線代表的意義。

　　2000年年底宏碁推動第二次企業再造，我同樣也是運用微笑曲線來思考，決定加強曲線左右兩邊的研展和行銷，完全放棄中間的組裝和製造，這是破釜沉舟之舉。

　　微笑曲線這個名稱很容易被接受，但是我發現真正了解微笑曲線精神的人並不多，有些人雖然有些了解，但只是皮毛而已。從我首次提出微笑曲線到現在，其間做過一些修改，我把微笑曲線簡化，同時也擴大應用範圍至其他產業。

　　微笑曲線有兩個要點，第一個是可以找出附加價值在哪裡，第二個是關於競爭的型態。

　　很多人都知道，微笑曲線顯示，個人電腦業附加價值較高的部分，是在研展、行銷、品牌和服務，但是有不少人忽略了競爭型態的重要性，研展是全球性的競爭，行銷是地區性的競爭，如果沒有掌握這個基本原則，執行起來就會不得要領。

　　整個產業發展的趨勢是垂直分工，這是以微笑曲線的橫軸來呈現，由左至右分別是產業的上、中、下游，資訊硬

圖7-1　微笑曲線

附加價值

智財　　　　　　　　　　　　　　品牌／服務

研展　　　　　　製造　　　　　行銷
全球性的競爭　　　　　　　　　地區性的競爭

● 微笑曲線就是一條說明產業附加價值的曲線，從橫軸來看，由左至右代表產業的上中下游，左邊是研展，中間是製造，右邊是行銷；縱軸則代表附加價值的高低。以市場競爭型態來說，曲線左邊的研展是全球性的競爭，右邊的行銷是地區性的競爭。

體、軟體、半導體等大部分的產業都是朝垂直分工的方向發展。造成這個趨勢有三個原因：

　　一、產業規模變大之後，分工比較有效率；

　　二、產業的競爭很激烈，廠商不得不很專注，只做一小段，分心多做就會失敗；

　　三、產業的標準出現，有產業標準才能分工，早期電腦沒有標準，所以必須垂直整合，早期軟體的系統整合也沒有標準，宏碁現在做微巨電子化服務，就是希望能夠建立標準，做到垂直分工，然後在專注的那一塊做到水平整合，才能創造經濟規模。

　　產業垂直分工之後，各個產業附加價值的變化可以用幾

個台灣的製造業為例來說明（圖7-2）。過去十年來，台灣的
設計製造代工廠商不斷發展本身的競爭力，主要的發展方向
有三個：

一、把製造移到大陸；

二、加強微笑曲線左邊的研展，開始從事設計，並且靠
彈性、快速來取勝；

三、發展屬於微笑曲線右邊的全球運籌服務。

發展全球運籌，靠的是資金。以前的做法是，有品牌的
客戶向設計製造代工廠商採購產品，交貨之後產品成為客戶
的庫存，運途常要一個月。現在改為設計製造代工廠商在全
球各地設立發貨倉庫，就近供貨給客戶，這一個月庫存的資
金就改由設計製造代工廠商來負擔，等於是設計製造代工廠
商融資給客戶。這些設計製造代工廠商都是上市公司，擁有

圖7-2　台灣製造業提升附加價值

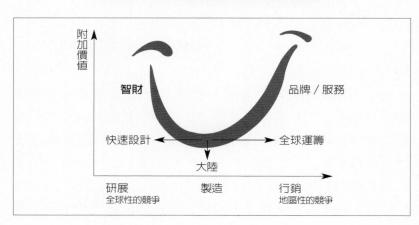

充裕的資金,所以負擔得起。

　　從競爭的角度來看,目前大陸的廠商頂多只有微笑曲線中間的製造能力,欠缺左邊的研展和右邊的全球運籌能力,所以還不足以威脅台灣的設計製造代工廠商,這就是我在第四章曾提到的,從事設計製造代工的台商,目前在大陸沒有當地企業的競爭者。

　　因此,目前台灣設計製造代工業的附加價值曲線,變成左右兩邊略為往上發展,已經呈現小微笑曲線的型態了。

▊ 半導體產業的微笑曲線

　　再以半導體產業為例,十年前製造很重要,因為擅長製造的廠商很少,所以附加價值曲線向上彎曲,也就是左右低而中間高。十年後的現在,半導體的製造已經不再是附加價值最高的部分了,因為只要投入資金採購設備,再延攬一些人才,就可以勝任製造,所以現在半導體業的附加價值曲線,變成中間向下彎曲的微笑曲線了(圖7-3)。

　　半導體產業再細分,情況不盡相同。

　　以微笑曲線來看,台灣的DRAM廠在左邊的技術無法取得領先,右邊的服務則很簡單,因為記憶體的規格標準化,客戶也不太多。微笑曲線的左邊沒有機會,右邊很簡單,所以台灣的DRAM廠並沒有行銷的實質,只剩下中間的製造,是附加價值最低的部分,以前德碁的狀況也是如此。

　　晶圓代工業的情況則不同。

　　以台積電為例,隨著半導體業附加價值曲線的改變,台

圖7-3　半導體產業的附加價值曲線

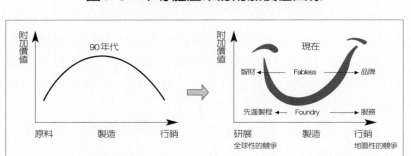

積電開始往曲線的左右兩邊發展,一方面加強對客戶的服務
(右邊),一方面持續提升製程技術(左邊)。台積電雖然是
專業的晶圓製造公司,但是現在他們把自己定位為一家服務
的公司。

　　半導體公司對客戶的服務講究的是品質、良率、交貨期
等,不同的客戶有不同的需求,可以算是客製化的服務,必
須要有足夠的彈性才能滿足所有的客戶。

　　韓國和日本的半導體廠商也曾想強化晶圓代工服務,但
是缺乏所需的彈性,所以並不成功,追不上台積電的水準。
台積電的服務是B to B(企業對企業)的服務,而不是B to C
(企業對消費者),設計製造代工廠商的服務也是屬於B to B。

　　台積電的規模在全球已經是數一數二的水準,晉身全球
半導體業第一級廠商之列。我認為,不看營業額,而從製造
的規模來看,全球第一級的廠商只有三家:三星、英特爾、
台積電。

　　有了規模,就能夠大幅投入技術的開發,三星、英特

爾、台積電都是技術領先的廠商,另外還有一家技術領先的
是IBM,但IBM不是靠量產和大規模來領先,而是以高附加
價值的晶片支援更高性能的電腦,藉此取得技術領先的地位。

▊ 來自大陸的競爭

　　大陸的中芯國際公司也從事晶圓代工,目前看來,中芯
在微笑曲線左邊的技術上是落後的,不過他們的技術仍然有
市場需求,例如0.25微米、0.18微米的技術都還有市場。

　　所以中芯現在的策略有兩個,一方面他們要搶攻必須靠
低價競爭的市場,尤其是大陸市場需求的產品,因為他們有
稅賦上的優惠;另一方面,他們應該找到一些大客戶來填滿
產能,所以他們透過以前曾擔任世大積體電路董事長的日本
人川西剛(Tsuyoshi Kawanishi),為中芯介紹了很多日本大
客戶。

　　如果中芯靠這兩項策略站穩了,就可以慢慢透過研展追
求技術的領先。

　　目前中芯與台積電還有相當大的差距。就像IBM與台灣
的宏碁相比,以全產品線來看,IBM實在是太強了,但是如
果只看個人電腦,IBM就不如宏碁。同樣的,以產品線的完
整性和服務範疇來看,中芯當然不能跟台積電比,還有很大
的距離。

　　不過,中芯目前雖然才剛建立初步的能力,但是他們已
經有一個相當大的市場需求,足以支持他們爭取立足之地。

　　其實我一直認為,如果台積電能夠早一點到大陸設廠,

由大陸廠供應客戶低階的產品，那麼大陸的半導體代工廠商恐怕就很難有發展的機會。

如果客戶要採購很便宜的IC，台商可以從大陸廠供應，客戶就不會去找大陸的供應商，畢竟客戶跟台商往來已久，他們對大陸廠商還很陌生。就像做資訊產品的台灣設計製造代工廠商，掌控一切，大陸難以出現競爭者。

但是如果半導體台商沒有到大陸設廠，客戶為了採購很便宜的IC，只好到大陸慢慢尋找當地的供應商，即使困難重重也不得不如此。一旦大陸公司取得了生產低階IC的業務，就可以藉此慢慢培養能力，有朝一日很可能累積足夠的實力與台灣廠商抗衡。

要建立一個產業，關鍵就在於是否能取得發展產業的立足點。

宏碁和台灣其他的電腦業者當年先從低階產品做起，建立一個立足點，然後逐步往更高階的產品發展，大部分的國家都沒有取得立足點，無法建立初期的經濟規模，所以資訊產業就發展不起來。

本來大陸的半導體業一直沒有立足點，持續虧損，現在中芯有機會取得立足點，未來一旦成了氣候，很有可能成為台商很大的威脅。雖然台積電和聯電陸續赴大陸設廠，但是這個堤防已經決堤了，無法像資訊業台商那樣防堵大陸競爭者出頭。

當然，中芯也有失敗的可能，不過半導體業的特色就是可以撐，因為公司成立時已經拿到一大筆資金，虧損時可以用折舊繼續營運，就像當初台灣的DRAM廠，即使都虧損累

累，還是可以撐下去。只要中芯撐得下去，就會影響整個產業的發展。

從微笑曲線看經濟體和企業的發展方向

微笑曲線不僅可以說明產業附加價值分布的情況，也可以讓我們了解整體經濟和個別企業應該朝哪些方向發展。在台灣，很多人認為製造外移會造成產業空洞化，他們以為微笑曲線中間的製造是最有價值的部分，也許是因為製造具體可見，而且可以創造很多就業機會，所以才會有這種想法。

但是這種想法並不正確，因為根據微笑曲線，放棄中間的製造，或者把製造外移到成本更低的地方，本身改為往微笑曲線的兩邊發展，並不會造成產業空洞化。

提高所得和保護環境都是經濟發展的目的，隨著經濟的成長，勞工成本和環保成本都會逐漸提高，製造正好與這兩項成本都有關聯，所以附加價值已不如過去那麼高。經濟進步的國家應該朝微笑曲線的兩邊發展，追求更高的附加價值，否則經濟發展就會停滯，最終會被淘汰掉。

從企業價值的角度來看也是同樣的情形，微笑曲線的重點就是指出做什麼才比較有價值。一般而言，創造價值都必須挑戰困難，突破瓶頸。

所謂人無遠慮必有近憂，趁企業在某一個領域（例如製造）獲利豐厚時，就要開始往微笑曲線的左右兩邊發展，在曲線的某一點站穩腳步了，就繼續往更上方發展，不能停，一旦停止，就無法持續提升競爭力。只要微笑曲線的兩端還

沒有走到頂，就可以一直朝頂端的方向發展。

除了不斷向上發展之外，還要兼顧兩邊，如果沒有能力同時向左、右兩邊發展，也可以先選擇一邊，左邊或右邊都可以，然後再發展另一邊。如果不往左、右兩邊發展的話，就會慢慢喪失競爭力，任何一個進步的經濟體和企業體，都面臨同樣的問題。

微笑曲線左邊和右邊的原有優勢都會面臨淘汰，不過情況不太一樣。左邊的淘汰是跳躍式的，新的技術會完全取代舊的技術；右邊則是漸進改良式的，很難有全新的突破，因為服務已經落實，消費者都已經習慣了，很難完全改變，必須在原來的基礎上改變，不像左邊的技術一旦改變就會截然不同。

其實我們看台灣過去十年的發展，正是積極朝微笑曲線的兩邊發展，目前還沒有做到的就是微笑曲線左邊的最頂端，也就是比較核心的技術，以及右邊的最頂端，也就是 B to C 的品牌和服務。尚未發展到最頂端，代表台灣的競爭力還有大幅提升的空間。

目前台灣仍然無法掌握比較核心的技術，必須依賴國外。至於 B to C 的品牌，跟國際化的管理能力有關。現在宏碁在國外的員工不比國內少，由於宏碁已經放棄製造，所以都是行銷人員，行銷的國際化管理其實就等於當地化。

B to B 比較沒有國際化的問題，因為無論是美國人到台灣來，或台灣人到美國去，面對的對象都是國際化的人，大家的共同語言是英文，也使用相同術語。

但是 B to C 不一樣，B to C 面對的是一般消費者，牽涉

到語言、通路、放帳、收款等問題，都必須因地制宜，所以微笑曲線最右邊的 B to C 品牌是地區性的競爭，要落實國際化政策就必須當地化。

微笑曲線的右邊不只有品牌，還包括真正的服務。服務是一種價值的實現，一旦消費者習慣了這種服務，就很難被完全取代，這是微笑曲線右邊頂端的服務最重要的特色。例如，電視提供一種價值的實現，即使看電視只是為了消磨時間，也算是一種價值，消費者一旦習慣電視所提供的價值，就很難抗拒和改變，其他產品很難完全取代電視。

從另外一個角度來看，微笑曲線左邊的研展開發出很多科技，可以改變人類的生活，但是右邊的服務才能真正落實科技對生活的影響。因此在一個經濟體裡，微笑曲線的右邊是服務業，占三分之二，左邊和中間是製造業，合計占三分之一，當然，左邊有一部分是屬於右邊的研究發展，但是左邊的研展最主要還是以產品的技術為主。

▋ 宏碁的微笑曲線：左邊的發展

1989 年宏碁調整組織架構時，依照各事業業務性質的不同，區分為製造導向的策略性事業單位（SBU），以及行銷導向的地區性事業單位（RBU），SBU 管微笑曲線的左邊，RBU 管右邊。曲線中間的製造也分成兩個部分，大量製造的歸左邊的 SBU 管，最後裝配的歸右邊的 RBU 管。

由於左右兩邊都屬於同一家公司，所以容易產生內部衝突，造成管理的複雜化。因此，2000 年第二次再造時就改為

完全分工，由不同公司負責微笑曲線不同的部分，這個劃分方式剛好配合整個產業朝分工發展的趨勢，使得各公司更具有競爭力。

二造之後，緯創負責左邊的研展和中間的製造；宏碁完全不做製造，以右邊的行銷為主，再加上左邊的一點研展，宏碁進行的都是屬於關鍵性、比較少人做而且與右邊相關的研展。

為了強化宏碁的研展，我推動「十年關懷工程」計畫，設立「價值創新中心」（Value Lab）。

十年關懷工程

「十年關懷工程」進行的是文化的改造，通常工程師的思考是以技術為主，我希望他們能改以客戶的需求為著眼點，也就是要關懷客戶的需求。工程師當然還是要了解技術面，但著眼的應該是右邊的消費者需求，所以他必須針對右邊做一些必要的研究發展，其中只要是外面有人可供應的技術和產品，原則上我們盡量外包，不必什麼都自行研究。

這種對客戶需求的關懷是感性的，但是必須要用工程的方法來實現，所以稱為「關懷工程」。工程必須標準化，而且經過這項工程而得到的方程式，可以應用到各個不同的領域，也就是說，要能夠大量複製，因為普及化才有經濟效益。

為了實現關懷工程，我們設立了「產品價值創新中心」和「服務價值創新中心」，因為產品和服務都需要創新才能創造價值。過去一年多以來，這兩個中心進行了一些研究發

展，在2003年11月推出Empowering Technology，2004年的下半年陸續推出一些產品上市。

　　Empowering Technology的中文暫且稱之為「關懷科技」，因為empowering（使人有能力）和關懷還是不太一樣，empowering是過程，關懷則是因。

　　簡單的說，我們可以把Empowering Technology當作是一種「傻瓜模式」。電腦的傻瓜模式和傻瓜相機不太一樣，傻瓜相機的功能比單眼相機簡單，可是簡單的電腦沒有人買，我早在1996年就推出低價國民電腦Acer Basic，但銷售不佳，消費者都想買最好的電腦。

　　如果用相機來說明，這就表示消費者還是要買單眼相機，因為單眼相機愈來愈便宜，但是一般人不太懂得如何使用，所以單眼相機還要加上傻瓜模式，也就是說，電腦必須價格便宜、功能很好，還要有傻瓜模式。

　　傻瓜模式的電腦難免需要精簡一些功能，不懂電腦的人會覺得很高興，因為有很多功能其實都用不上，可是很懂電腦的人卻不高興，因為傻瓜電腦無法讓他們展現自己能夠掌握別人不懂的專業知識，以及駕馭科技的能力。

　　不過這個情形只是趨勢發展的過程而已，到最後可能還是傻瓜模式占上風，我理想中的電腦就是要讓那些很懂和不懂個人電腦的人都能使用。

　　很多產品到最後都是傻瓜模式占上風，例如汽車的自動排檔就是傻瓜模式，用科技來解決使用者不會操作排檔的問題。照相機也一樣，以前一般人照相，會照和不會照，洗出來的相片水準可說是相差十萬八千里。

　　我對攝影很有興趣，曾經花了很大功夫學習，我讀高中時還上台北參加救國團舉辦的攝影研習班，研究光圈、焦距、速度等，還要懂光學原理，後來念大學時曾擔任攝影社社長。傻瓜相機出現之後，相機開始普及化，我現在照相也喜歡用傻瓜相機，只是我希望相機性能好一點，即使價格貴一點也沒有關係。

▌端到端的思考模式 ── 重視消費者的需求

　　價值創新中心的目標是普及化，易用可靠（包括傻瓜模式）的產品和服務才能普及化，現在個人電腦還不是很易用、可靠，所以仍然不夠普及。要普及化，得先找出不能普及的原因，然後根據每個原因來找解答。

　　在尋找解答的過程中，我採用端到端（end to end）的思考模式，因為產品不可靠、不易使用並不一定只是硬體或軟體的問題，也不一定只跟服務有關，可能跟這些都有關聯，所以我要從端到端考慮所有的環節。

　　價值創新中心的重點不在技術研展，而在關懷消費者的需求，因此可以採用端到端的思考模式，目前廠商要靠產品競爭，所以不得不把重點放在加強技術上。

　　一個理念從成形到真正落實需要很長的時間，價值創新中心就是如此。首先概念必須具體化，具體化之後的產品或服務是否有價值、是否確實可行，都需要時間來驗證、修改，可行性確定之後，還需要推廣，這是一個很長的過程。

　　現在我們的工程師已經知道努力的方向，但是在執行時

還無法完全落實，因為他們沒有經驗。其實我也沒有經驗，或是說我的經驗比較屬於紙上談兵式的，但我可以想像那個理想的目標，所以我跟同仁開會時會提供他們一些點子，讓他們嘗試去思考，不斷把他們從傳統的思考模式拉到新的思考模式。

例如，從使用者的角度來看，我算是「傻瓜」使用者。現在距離當年我自己從事研究發展已經快三十年了，雖然我對技術的發展並不陌生，但我還是比現在的工程師「傻瓜」多了，至少我可以假裝比他們「傻瓜」，提出一些使用者角度的問題讓他們思考。

現在的工程師可以接觸到最新的技術，這正是他們感到最自豪的時候。當工程師最自豪於技術時，注意力就會全部放在技術上，很難會想到這些技術可以有哪些應用、使用者的需求是什麼，這時就需要我來提醒他們，每次開會我都不斷闡釋端到端、易用、可靠等概念，不斷替他們洗腦。

忽視使用者的需求不只是台灣才有的問題，全世界都有這個問題。在這方面，宏碁算是幸運的，我在這個產業擁有三十多年的經驗，所以有這種遠見朝這個方向發展。其實這並沒有什麼了不起，任何科技都必須先解決這些問題，必須更重視消費者的需求，從消費者的觀點來思考產品，才能真正普及，電話、汽車、相機、手機都是如此。

像裕隆的Cefiro，原先是由日本的日產公司設計，裕隆重新思考台灣消費者的需求，然後一點一滴修改調整，才能成為台灣市場的暢銷車。我相信十年、二十年後的電腦，一定跟現在不一樣，今天總要有人開始思考未來的電腦應該是

圖7-4　宏碁的微笑曲線

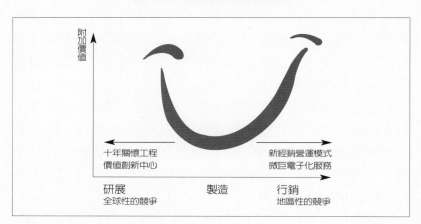

什麼樣子。

　　當然，我沒有絕對的把握消費者一定會接受我們開發的新產品，所以我現在採取很簡單、很穩健的策略，即使我開發的新功能無法打動消費者，至少在原有功能方面並不比別家公司的產品差。

　　換句話說，我們的電腦功能和價錢跟別家公司的電腦一樣好，只是增加了傻瓜模式，消費者買了以後不用傻瓜模式也無妨，功能不會比較差。

　　我們的平板電腦就是如此，別家公司的平板電腦外形就只有一塊平板，沒有鍵盤，我們則是全世界第一家推出筆記型電腦加平板的公司，使用者如果不想用平板模式，就把它當作筆記型電腦來使用即可。

　　針對微笑曲線右邊的行銷和服務，我們提供行銷和資訊

兩種服務，未來的宏碁可以說是一家服務的公司。

■ 宏碁的微笑曲線：右邊的發展

在行銷方面，二造之後宏碁保留自有品牌，放棄製造，改為向供應商採購，並透過新經銷營運模式來運作，等於是別人的產品掛上宏碁的品牌，由我們提供行銷的服務；另外在服務方面，我們推出微巨電子化服務。前者是既有產品的流程改造，後者則推出新型態的業務。

在行銷服務方面，我們著重在 B to B to C 的服務，也就是說，我們心中所想的是最終客戶（C），但在提供服務時必須借重經銷商（B），這就是我們的「新經銷營運模式」。

微巨服務目前也是透過加值經銷商（VAR）來提供服務，戴爾則是 B to C 的直銷。我們採取 B to B to C 模式的原因是，B to C 所需的行銷體系（infrastructure）太龐大了，而B to B 無法掌握最終客戶。

我們沒有能力在歐美建立自己的經銷系統和服務體系，所以還是要借重配銷商，但做法有別於二造之前的速食店式產銷模式。

速食店模式是在台灣（中央廚房）生產主機板、監視器等組件，把最後組裝工作移至海外各地的事業單位（速食店）。二造之後，我們在歐美地區改採新經銷營運模式，也就是借重設計製造代工廠商的全球運籌能力，直接把貨送到配銷商那裡，如此一來，庫存可以降低到一週左右。

不過亞洲目前尚未採取新經銷營運模式，因為在亞洲我

們自己就是配銷商，所以庫存比較多一點，但是我們在亞洲本來就有賺錢，歐美原先是虧損的，改採新模式之後才轉虧為盈。

新經銷營運模式和戴爾的直銷有一點相同之處，那就是可以不斷銷售新產品，而且新產品又不必自己生產，所以只要決定好產品就可以賣，風險並不是很大，這個新模式大幅提升了我們的競爭力。

▓ 微巨電子化服務

針對微笑曲線右邊的第二個做法是微巨電子化服務，這完全是在思考資訊服務下一世代的模式。

目前大家對於下一世代的資訊服務有很多不同的想法，出現很多新名詞，比如說，有人提出資訊像水電一樣，需要用時開關一開就來了，屬於隨取即用的模式（business on demand）。

早期甲骨文公司（Oracle）提出 NC（Network PC，網路電腦）的概念，就是類似的想法。NC 跟電信系統的觀念一樣，客戶端很簡單，中央很複雜。

推動二造完成宏碁轉型之後，我找了二、三十個主管一起思考未來該怎麼做，該如何切入資訊服務，那時我突然想到 macro（宏觀）和 micro（微觀）的概念，我說我們應該要建立 macro 的東西，然後提供一些 micro 的服務。

我第一次談的時候，還沒有想到用「微巨服務」的名稱，那時大家聽不懂 macro，所以就改成 mega（巨大），先

有了英文名稱Mega Infrastructure Micro Service，再根據英文來決定中文的名稱叫作「微巨電子化服務」。

我希望在微笑曲線右邊的下一波發展裡，微巨服務可以成為更有附加價值、更穩定、規模更大的業務，規模更大是因為它可能會帶動硬體的銷售。

微巨服務的特色就是把服務變成水平的。過去的資訊服務是垂直的，垂直就不能大量化，一套應用軟體、一個解決方案只能用在一家公司或者一個產業。水平的服務則是大部分產業都使用一樣的服務，大大小小的公司都使用同樣的服務，就像大家都要用水、用電，這樣市場規模才會變大，水平整合的效益比較高。這是我為微巨服務勾勒的未來。

我認為，一項技術成熟到某個程度就會朝水平整合的方向發展，電腦經過四、五十年的發展，到現在還是以垂直應用為主，但是再繼續發展下去，一定會變成水平的應用。

例如，早期的文書處理系統是垂直的，所有的軟體整合在文書處理系統裡面，領導廠商就是王安電腦公司，當這個應用軟體從垂直打破變成水平，放在個人電腦裡面之後，整個市場全部改觀。

微軟是另一個例子，微軟無論是作業系統或應用軟體，都選擇水平的產品，可以重複使用，大量銷售。

以前迪吉多（Digital Equipment Corporation, DEC）開發一套迷你電腦的作業系統軟體可能要投資一、兩千萬美元，甚至更多，每套軟體的售價大概要好幾萬美元。

反觀微軟，Windows NT作業系統用在伺服器上，他們可能投資幾億美元，然後每套售價只有幾百塊美元，銷售量非

常大，經濟效益很高，等於是研展的投資金額比迷你電腦多一個零，但是銷售量多好幾個零，微軟就是這樣起家的。

　　台灣的軟體工業之所以無法像硬體工業那麼蓬勃發展，就是因為沒有辦法大量化。尤其國內很多軟體公司都想靠政府吃飯，而政府只有一個，所以不能重複銷售，銷售量大不起來，加上政府往往都是低價決標，售價也不高，所以三十年來台灣的軟體業者都賺不了什麼錢。

　　如果要做企業的市場，中小企業的規模不大，作業都沒有標準化，而且也付不起太高的費用；至於大企業，不但家數少，而且每家大企業都有自己的想法，並沒有標準化。

　　未來水平整合式軟體如果不能占絕大部分比重的話，台灣就沒有希望。原因有二：第一，水平可以大量化；第二，如果水平式軟體愈來愈多，就有助於垂直的簡化，就像蓋房子，如果什麼建材模組都有，就可以用現成的模組來組合，不像以前要自己從頭蓋起。

　　電腦產業就是如此，中央處理器、作業系統、繪圖晶片、DRAM、硬碟機等，一項接一項朝垂直分工、水平整合的方向發展。

巨架構微服務

　　宏碁的微巨電子化服務在全球都可以算是比較少見的做法。因為小型的系統整合公司或軟體公司根本沒有財力和資源做微巨服務，熬不到微巨服務的市場真正起飛的時候。

　　至於大型公司，即使他們有微巨服務的想法，也無法放

下原有非微巨服務式的龐大業務，改為只做微巨服務；如果真的放棄現有業務，微巨服務的市場才剛萌芽，也很難有足夠的業務量來支撐這些大公司。

但是宏碁原本並不是系統整合公司，也不是軟體公司，所以沒有上述大公司的包袱，可以堅持只做微巨理念的服務。另外，我們經過分析之後，認為微巨服務的投資在我們可以承受的範圍內，實際上這個投資對宏碁來說算是最小的投資，比當年網路事業的投資規模還小得多。

我認為微巨服務的投資比網路的投資更有可能落實，一旦成功了，就是屬於微笑曲線右邊最上方的服務。因為如果能夠做到micro（微服務）的階段，雖然交易的部分可能是透過B to B，但是應用則必須有B to C的意味，例如樂彩和收費站系統都是面對、牽涉到一般的消費者。

微巨服務的巨架構是由軟、硬體及網路組成的，軟體包含平台和各種解決方案軟體，龐大的硬體設備包括資料中心、伺服器、網路等等。網路不一定要自己架設，也可以透過中華電信的網路整合起來。

樂彩和電子收費系統就是最典型的巨架構微服務。樂彩的巨架構是由中央的五部電腦組成，周邊則有各個銷售點（point of sale）或終端站，也就是簽注站的電腦，然後透過網路把中央和周邊的電腦全部連結起來。

宏碁曾經積極參與電子收費站系統的標案，希望利用這樣一個規模相對比較大的系統來建立巨架構微服務，然後衍生出很多商品和產業發展的機會。例如在硬體方面，汽車上的感應器就是一個商機，假設台灣只有兩百萬台的市場，規

模也許不夠大，但是做好後可以外銷，規模就會擴大，而且從IC設計開始做，等於借重到我們整個產業的能力。

在軟體的應用或服務方面，我們可以利用各型車在高速公路往來時蒐集交通資訊，用來做車隊管理，也可以提供高速公路局做行車流量的管理，維持交通順暢。這些訊息也值得進一步研究，看看是否能衍伸出其他的新產品和新商機。

以後巨架構微服務會延伸到家裡，家裡的個人電腦將來也會成為終端站，至於家裡的終端站是用戶自己的，或是屬於微巨服務公司的，現在還不確定。就像電信公司鋪設電話線到每一戶人家，只是電話機可能是用戶的，也可能是電信公司的。

目前微巨電子化服務的營業額約十幾億元，僅占我們營業額的1％而已，2004年應該接近打平，2005年開始有一點小盈餘。這項新服務要開花結果，恐怕還要三、五年的時間，市場才會真正起飛。

第八章

創造品牌價值

品牌是累積的過程，
所以，品牌愈單純愈好。
品牌價值，
應該是品牌在各個國家或地區價值的總和。

商業品牌 vs. 消費品牌

品牌一般分為兩種，一種是商業品牌（B to B，企業對企業），一種是消費品牌（B to C，企業對消費者）（表8-1）。

以商業品牌來說，公司名稱往往就是他們做 B to B 業務的品牌，而不一定會另外登記一個品牌。商業品牌的價值高低，來自於客戶的評價，客戶評價根據的是產品的品質、功能成本比、交貨期和服務。

商業品牌面對的大約是幾百個客戶，他們很容易理性評斷你的水準，所以品牌形象與實質較接近。客戶比較過幾家供應商之後，如果條件符合要求，他們就會成為你的客戶。

然而，客戶轉移的障礙很低，如果有另外一家公司在上述幾個條件上獲得買主的認同，而價格比較低，客戶很容易就把訂單轉到那家公司，因為客戶的採購量很大，單價稍微降一點，整體降價的金額就很大。

不過，台灣的設計製造代工廠商雖然也是 B to B 業務，

表8-1　商業品牌與消費品牌的本質差異

商業品牌	vs.	消費品牌
百家專業客戶	vs.	百萬不知名非專業客戶
理性訴求為主	vs.	感性重於理性訴求
客戶集中轉單影響大	vs.	客戶分散轉單慢
單項產品重複購買	vs.	重複購買同品牌不同產品
形象與實質接近	vs.	形象與實質有時差

但是他們的客戶卻比較不容易轉單，因為他們具備後勤運籌和設計的能力，提高了客戶的轉移障礙，尤其晶圓代工服務的要求很高，不但資本大，而且服務必須很好，技術也要很強，一旦建立合作關係，客戶很難任意轉單。

塑造 B to C 品牌

B to C品牌面對的是一般消費者，人數可能高達數百萬人，遠超過B to B品牌的客戶數。一般消費者的專業性不如B to B的專業客戶，所以在選擇品牌時，感性往往重於理性，也因此品牌形象與實質之間有時會有差距。

B to C品牌的有效性與公司規模大小無關，公司愈大行銷費用反而愈高，業務必須做得更大才能夠平衡。

我個人認為，如果要塑造B to C的品牌，第一，產品要好、有創新；第二，品牌名稱要簡單，簡單才比較容易記住，例如：SONY、Nike、SK II等都是我認為命名得很好的B to C品牌。

1987年宏碁打算更改原有的英文名字Multitech，當時設定的原則之一就是，新名字不超過五個字母，我們篩選了數萬個名字，最後選中Acer。

塑造B to C品牌的第三個條件是品質，品質已經漸漸成為最起碼的必要條件。第四個條件是服務，這一點需視產品而定，有些產品需要服務，有些則不需要。服務會產生口碑，塑造品牌形象，只是口碑的效果比較慢。

擁有好的B to C品牌有幾個好處。第一，產品稍微有點

青黃不接時，不會像B to B品牌的業績馬上出問題。B to B品牌的產品常是客戶的命根，只要產品落後，客戶馬上就轉向別人採購。

但是B to C品牌的客戶是一般消費者，他們的資訊不像B to B的客戶那麼靈通，也不太懂，他們是為了品牌而買，買個安心，所以即使產品的新技術稍微有點青黃不接，無法很快推出新產品，消費者並不會立刻就轉向。

或者是新廠商推出更好的產品，但因為新品牌沒有知名度，等到新廠商花時間推廣到消費者都知道的時候，原有品牌的廠商已經趕上腳步推出新產品了。也就是說，即使原有品牌廠商落後新廠商半年才推出新產品，消費者實際上接受到這項新產品訊息的時間，或者在銷售通路上買到新產品的時間，都不會比新廠商慢。

因此，從保守面來看，品牌對於企業的業務有長期穩定的作用；從積極面來看，由於品牌已經建立形象和銷售體系，在推出新產品時，如果跟原來的品牌形象和定位一致，就可以借重既有形象和銷售體系產生綜效，創造倍數的好處。

但如果新舊產品的定位不一致，就必須建立第二次品牌，像宏碁有Travelmate和Aspire兩個第二次品牌，豐田（Toyota）也有凌志（Lexus）這個第二次品牌。

假如兩個品牌沒有衝突，而且處理得當，第一品牌絕對能夠帶動第二品牌。例如，寶僑（P＆G）的產品眾多，分屬於不同的品牌，但是他們的銷售通路很接近，新產品都可以透過原有通路來銷售，所以品牌對企業的長期經營有幫助。

再以宏碁為例，宏碁的監視器在歐洲的銷售量很快就

衝到第一名，就是因為監視器通路和原有的個人電腦產品是一樣的，對我們而言，只要增加一、兩個人就可以銷售監視器，提高利潤，這就是品牌的效應。

為了善用既有的銷售體系，宏碁必須固守個人電腦的領域，維持資訊科技（information technology, IT）產品的形象，想辦法把所有數位產品都跟IT的形象連在一起，如果形象脫離太遠，就等於是要另闢戰場，單兵作戰，對我們不利。

例如我們推出電視機時，強調的不是TV，而是TVD，D就是display（顯示器），以此來保持我們IT的形象。如果定位成電視機，我們的品牌就必須跟消費性電子產品的巨人打仗，不但難以占上風，也不適合我們既有的銷售體系。

▌品牌是一個累積的過程

消費者或客戶選擇某個品牌時，有兩個影響因素：信心和值不值得。信心指的是，消費者決定選擇這個品牌之後，結果是否跟他預期的一樣，無論B to B或B to C都是如此。

值不值得就是之前所談的價值，不過，B to B的客戶懂產品，也比較有足夠的訊息來判斷值不值得，但是B to C的客戶比較沒有這樣的訊息，而且B to C的客戶大部分都不懂產品，因此塑造品牌形象就變得很重要。

B to B的品牌形象靠口碑，透過業務慢慢建立形象，而不是靠做廣告。B to C品牌則不同，口碑雖然很重要，但是靠口碑建立形象太慢，所以要透過公關、廣告和各種不同的活動來建立形象，這就是推廣B to C品牌特別困難的地方。

　　要長期加深消費者對品牌的印象，就必須常常重複。塑造品牌是一個累積的過程，品牌形象就算一炮而紅，也不一定能持久，我常常講，品牌就像視覺暫留現象一樣，每二十分之一秒就要重複一次，否則慢慢會被遺忘。不過，如果你的品牌都是老套，即使一直重複，也很難刺激消費者的印象，所以必須創新。

　　創新是顯而易見的，消費者比較容易有印象，設計、技術甚至顏色都可以是創新，或者不斷推陳出新，每半年就推出新產品，也可以舉辦很多很有創意的事件，吸引很多人，適當的時間就重複一次，在媒體上常常要塑造這些印象。

　　企業應該要用企業活動或產品實際條件來塑造品牌，讓企業的實質與品牌互相呼應。品牌落實在有形跟無形的地方，有形的部分包括企業識別系統（CIS），以及產品識別系統（PI），像是BMW的車子和Cross的筆，產品的外形有一定的風格，這些都是有形的；至於品牌比較無形的部分，就在於創新。

　　品牌必須要有一致性，讓有形跟無形的部分結合在一起，例如明基的品牌BenQ現在塑造的形象是活潑的，享受快樂科技，所以他們的廣告和產品設計都要符合這種形象。

■ 施振榮的創值公式

　　創造品牌必須要有差異化，而且這個差異必須是對消費者有價值的，如果別家公司沒有辦法很快跟進，你的品牌就會產生品牌價值，無論B to B或B to C都是如此。以B to B的

品牌為例，本來訂客製化新產品需要五個星期，現在變成一週即可交貨，這就是速度上的差異化，可以產生價值。

此外，企業必須不斷創造新價值，因為你創造的任何一種價值，無論技術再深、品質再好，經過一段時間，別人都能趕上來，除非像微特爾（Wintel）那樣掌握了產業標準，因為有智慧財產權的保護，別的企業很難進入。因此，企業的經營必須不斷創造新價值，而且競爭者無法很快創造同樣的價值，這就會形成競爭障礙，才能有效掌握業務。

■ 品牌價值

針對品牌價值，我設計了一個公式：

> **品牌價值＝品牌定位 × 品牌知名度**

- 品牌定位指的不只是價位高低，更精確的說，應該是價值減去成本之後的價差。也就是說，產品無論是高價位、中價位或低價位，只要價值減掉成本之後的值愈大，定位就愈有利，愈能夠創造品牌的價值。如果成本大於價值，這個定位就不對，因為這表示投資很大，但是創造的價值不夠大，產品價位再高還是會虧本。
- 品牌知名度，又可以分為媒體的出現和實體的出現。媒體的出現就是公關、廣告或各種事件。實體的出現就是產品曝光，像賓士車在路上隨處可見、到朋友家看到宏碁電腦，這些都是靠實體的出現來創造口碑和知名度，所以產品的市場占有率愈高，知名度就會愈高。

要提高品牌價值，大公司和小公司的做法不太一樣，對公司營運的挑戰也不同。大公司已經有知名度，所以經營重點放在定位，例如IBM並不缺名氣，如何讓個人電腦業務獲利，提高定位（價格減去成本）是他們最大的挑戰。小公司往往比較創新，已經有定位，努力的重點是在知名度，有了

知名度，才可以讓定位根深柢固，進而複製、擴大。

若要進一步分析，品牌價值還牽涉到重置成本，品牌價值公式可以進一步變成：

> **品牌價值＝重置成本＋（品牌定位 × 品牌知名度）**

● 重置成本是指重新創立一個品牌所需的成本。

以宏碁而言，宏碁的品牌有一定的知名度，但是過去不賺錢，所以品牌定位差不多是零；但是我們評估之後認為，宏碁的品牌還是有價值，因為有重置成本。二造時新宏碁的轉型就是要提高宏碁的品牌價值，提高品牌知名度需要很長的時間，還要投資很多錢，所以我們從提高品牌定位著手。

品牌定位包含價格和成本兩個要素，以個人電腦市場的現況來看，要提高價格不太容易，所以我們必須降低成本，而且不只是降低產品的成本，而是端到端，也就是從採購到配銷的整個流程，都必須降低成本。如此一來，我們的品牌定位（價格減成本）就可以「擠」出價差，提高品牌的價值。

根據2003年和2004年國貿局進行的台灣十大國際品牌調查，宏碁排名第三，第一、二名分別是趨勢科技和華碩。目前趨勢和華碩之所以排在我們前面，都是靠品牌定位。

趨勢科技的品牌知名度並不一定特別高，即使有些人的電腦裡有趨勢的軟體，可能也不怎麼認識這家公司。然而，趨勢的品牌定位很高，因為他們的市場占有率高達三、四成，銷售額很高，而成本幾乎接近零，兩者的價差很大。微軟也是類似的情形，因為品牌定位很高，所以品牌價值高。

華碩跟趨勢科技一樣，也是靠品牌定位來提高品牌價值。華碩的主要產品是主機板，他們領先對手推出新產品、產品品質好，所以品牌定位非常高。至於品牌知名度，華碩的客戶算是半B半C，他們主打自行組裝的市場，所以知名度不見得普及到所有消費者，只有自行組裝電腦的消費者比較知道華碩，例如學生，而企業客戶可能就不會知道華碩。

現在宏碁的品牌定位已經提高了，加上宏碁經營自有品牌二十多年，在知名度上已經有一些基礎，再過幾年我們的品牌價值就有機會超越趨勢科技與華碩。

企業價值

品牌價值之所以重要，是因為關係到企業的價值。企業價值和企業是否賺錢有很大的關係，這包括現在能賺錢，還要保證未來能夠賺錢。要保證未來賺錢，就要靠核心競爭力、技術等條件，其中有一個條件是無形的、能夠長期有效而且短期很難變化的，那就是品牌。

換言之，貫穿整個企業價值的就是品牌價值，品牌價值關係到企業借貸的成本，以及是否能招募好的人才、找到好的銷售通路，理論上，品牌價值高的企業在銷售成本方面應該會比沒有品牌的企業還低。

品牌價值對企業價值的重要性視產品而定，愈消費性、愈大眾商品化、愈流行的產品，品牌價值對企業價值就愈重要。對B to C品牌而言，品牌價值很重要，在企業價值裡所占的比重比較高，像可口可樂之類的品牌可能更高；但如果

是B to B品牌，比重可能沒有像B to C品牌那麼高。

我也針對企業價值設計了一個公式：

> **企業價值＝價值創造能力 × 價值實現能力**

- 價值的創造就是上游，包括研展和製造。
- 價值的實現就是下游的配銷和服務，如果沒有把產品配銷到消費者手上，或者沒有做好服務，那麼再好的東西還是無法實現價值。

以索尼為例。根據Interbrand公司所作的2003年全球百大品牌調查，索尼已經落居十大之外。索尼整體運作的系統很好，不過整個企業的價值有限，這是因為他們流程的每一個環節成本都偏高。看企業的價值一定要考慮到成本，我曾經提出一個競爭力公式：

> **競爭力＝ Σ （價值／成本）$_i$**

Σ 代表的是總和，也就是把企業每項活動的價值／成本比加總起來，就等於整個企業的競爭力。每項活動的比一定要大於一，相加之後才會累積得更高，如果其中一項小於一的話，該項就會變成減項，等於是總和減少了。

例如，本來是 $\Sigma = 1 + 1 + 1 = 3$，也就是三項活動加起來應該是等於3，但是如果其中一項的競爭力比數小於1，只有0.5，公式就會變成 $\Sigma = 1 + 1 + 0.5 = 2.5$，等於是成本太高，價值不夠，也就賺不了錢。

索尼創造價值的前端很強，也就是研展能力不錯，但是創造價值的後段，也就是製造的成本太高。至於價值實現的

部分，行銷通路和服務都已經建立好了，這些主要是針對消費性電子產品，如數位相機，所以這些產品的價值創造和實現並沒有問題。

　　不過，消費性電子產品的趨勢是大眾商品化，產品的毛利降低，可是他們既有的價值實現體系（通路和服務）已經很龐大，在這個體系裡流通的產品必須要有足夠的質（價差）與量，才能創造足夠的利潤，現在索尼的問題是整體營運的效率並不是很高。此外，由於這些通路和服務不見得適合個人電腦，所以他們的電腦業務不一定有利可圖。

表8-2　創值公式的涵義

- 品牌定位需清楚，否則知名度可能不具加分效果。
- 定位靠創新，知名度靠時間及金錢，也靠創新。
- 價值創造靠了解市場、研展智財及品牌形象。
- 價值實現靠控制管銷成本、增加運籌效率及提高服務滿意度。

　　用品牌價值公式來看個人電腦產業，專精做個人電腦的廠商（如戴爾）所創造的企業價值，高於主要業務並非是個人電腦的廠商（如IBM、惠普）。

▋個人電腦為主要業務的廠商

　　全球前十大個人電腦品牌中，只有四家是以個人電腦為主要業務，包括戴爾、宏碁、蘋果電腦、聯想，目前這四家公司都有獲利。

　　個人電腦的利潤持續下滑，廠商薄利多銷的前提是成本

要低，如果不能有效降低成本，就無法提升競爭優勢。

　　美國品牌的成本往往偏高，但是戴爾克服了這個問題。戴爾採取直銷的商業模式，把營運成本和營運風險降至最低；另一方面，戴爾實現價值又是最快的，因為直銷的庫存少，新產品推出的速度更快。

　　我記得很清楚，戴爾剛出來的時候，所有廣告都跟康柏的產品擺在一起，戴爾的產品規格不比康柏差，但價格比康柏低了20%～30%。

　　起初戴爾的形象並不是很高，但隨著戴爾開始獲利，銷售量也不斷提高，最後成為個人電腦產業最賺錢的公司，市場占有率也最大，其品牌價值也隨之提高。反觀康柏，雖然有很高的知名度，但是成本壓不下來，所以擠不出定位差，就被淘汰了，最後把整個公司賣給惠普。

　　這兩家公司都是以個人電腦產品為主，一旦個人電腦的市場不佳，他們就受到很大的影響，一定要提高品牌價值，才能生存。

　　聯想的品牌價值也是正的，因為大陸市場很大，他們在大陸市場建立的知名度和品牌價位都很強，不過並未打入全球性的市場。另一個隱憂則是他們現在的管銷費用太高，而且過去幾年的多元化發展策略失利，所以在2004年3月宣布裁員，並裁撤部分業務部門，專注在個人電腦領域，而裁員多少會影響到他們的形象。

　　宏碁經過2000年年底第二次企業再造，改頭換面之後已經大幅提高品牌價值，由於聯想局限在大陸市場，蘋果電腦主要走利基市場，所以我認為，宏碁在個人電腦領域的品牌

價值應該可以說是數二數三，大概僅次於戴爾。

▍ 個人電腦非主要業務的廠商

全球另外六大個人電腦品牌並不是以個人電腦為主要業務，包括IBM、惠普、索尼、富士通西門子（Fujitsu Siemens Computers）、恩益禧、東芝。這些公司在個人電腦的品牌價值可能都是負的，原因不是因為知名度不夠，而是品牌定位不足。

恩益禧的個人電腦早期有賺錢，因為當時他們在日本是獨家生意，但是他們跟IBM的個人電腦不相容，無法為客戶創造價值，所以打不進國外市場，後來在日本的市場占有率也從50％以上一路掉到20％～ 30％，我相信他們的個人電腦很難有獲利。

索尼是走很利基的市場，都是高價位的產品，但是我很懷疑他們的個人電腦是否真能有多少利潤。至於富士通西門子，我相信他們的個人電腦也沒有利潤。

筆記型電腦是東芝的許多業務之一，不過東芝本來在筆記型電腦上遙遙領先其他競爭者，所以早年大賺，近年來個人電腦逐漸朝大量商品化的方向發展，競爭者如戴爾、宏碁出現，東芝的個人電腦就經營得很辛苦，現在恐怕不怎麼賺錢了。

東芝的管理文化不太適合大量商品化的產品，所以最好讓個人電腦部門獨立運作。

IBM的個人電腦業務也不賺錢。IBM和已經併入惠普的

康柏一樣，原本都是高高在上，成本高、售價也高，售價和成本之間有利差，也就是品牌定位高，所以有利潤。

可是後來產業環境不變，個人電腦的價格持續下滑，IBM無法繼續維持高價，但是成本還是很高，所以他們的個人電腦品牌定位無法維持高水準，整個品牌價值可能就變成負的。

我認為，如果IBM不賣個人電腦，他們的品牌價值一定可以再提高。

惠普在帳面上有獲利，但是個人電腦的利潤可能很微薄，甚至可能是負數，個人電腦的品牌價值恐怕還是負一點點。惠普合併康柏是1加1可能只有1.5而已，因為合併後他們的個人電腦業務量一直萎縮，目前是靠降低成本來追求個人電腦的獲利，但是長期是否能持續，仍有疑問。

目前惠普整個公司的績效是靠真正賺錢的印表機和高階電腦業務，並不是靠個人電腦，不過他們的印表機將會面臨危機，因為有兩大競爭對手加入戰場。

戴爾決定推出印表機，戴爾向來以低成本、高效率的營運著稱，來勢洶洶；此外，雷射印表機的碳粉匣利潤很高，連IBM也要加入競爭，價格只有惠普的一半左右。如果惠普遏止不了新競爭者的低價攻勢，整個公司的利潤就會減少一大部分，對公司影響很大。

■ 德儀壯士斷腕，逆轉品牌價值

對於個人電腦品牌價值是負數的廠商而言，德州儀器的

做法提供了一個很好的參考。德儀就是因為個人電腦的品牌價值是負的,所以出售個人電腦部門,他們先裁撤桌上型電腦部門,後來又出售筆記型電腦部門給宏碁,德儀還為此付給宏碁近一億美元,做為處理善後的部分費用。

如果德儀不出售筆記型電腦部門,將會虧損兩~三億美元,所以他們雖然付給宏碁一億美元,卻反而賺了一~兩億美元,但是他們出售筆記型電腦部門後,股價馬上就上漲。

品牌究竟有沒價值?對德儀而言,個人電腦的品牌絕對是負的,排除個人電腦之後,剩下的是具有競爭力的業務,整個品牌價值就轉為正的了,所以品牌要好好運作,如果只看表面看,會出問題。

德儀出售個人電腦業務帶來正面的效果,但是如果要IBM照做,他們恐怕難以割捨,畢竟全世界最早推出個人電腦的就是IBM。

如果IBM不再銷售個人電腦,那麼在企業的辦公室裡,看得到的機器(個人電腦)都不是IBM,掛著IBM品牌的大型主機、伺服器雖然價值比較高,但是都關在裡面看不見,這對IBM是很大的改變。

▓ 品牌啓示錄

對於台灣的資訊電子業而言,韓國三星的做法也許有一些啟示。三星的發展方向是以B to B品牌做為B to C品牌的基礎。

早期三星做了很多B to C的產品,量都很大,像是微波

爐、電視機等，但是價位不高，品牌定位沒有擠出價差，所以並沒有品牌價值。

不過近年來，三星的B to B品牌不錯，他們在DRAM（動態隨機存取記憶體）、TFT-LCD（液晶顯示器）、CDMA（分碼多工）技術方面取得絕對的領先，都是世界第一。

其中CDMA技術讓三星在CDMA手機上取得領先，成功發展出強勢的B to C手機品牌。未來TFT-LCD技術還可望為三星建立另一個強勢的B to C品牌，那就是液晶電視機。

另外一個對三星有利的因素就是品牌知名度的提升。當年三星的品牌定位雖然不好，但是他們持續花重金提高品牌知名度，累積了幾十年，慢慢建立知名度，等到近年來品牌定位開始提高，也有助於拉抬知名度，品牌價值就可以大幅提升好幾倍。

宏碁的情況也是如此，原來已經有知名度，但品牌定位不理想，二造之後靠著降低成本、產品推陳出新而提高品牌定位，品牌價值就可以提升。

■ 汽車業的品牌價值

也有的品牌是靠知名度來提高品牌價值。

在Interbrand公司所做的2003年全球十大品牌排行榜上，賓士汽車名列第十，賓士的營業額並不是特別大，但品牌價值卻能高居全球十大之一，主要的原因是它的品牌知名度非常高。

賓士汽車在路上跑，實體的出現大大提高了品牌知名

度，連小孩子都知道，消費者購買賓士車除了是為了汽車本身的品質，品牌形象也是很重要的原因。

例如，賓士和BMW這「雙B」在亞洲的品牌形象實在是太強了，遠高於同屬歐洲車系的奧迪（Audi），所以雙B與奧迪在亞洲的價差遠大於歐洲，奧迪在歐洲的表現絕對比亞洲好很多，甚至有時候與雙B不相上下。最近奧迪有一些車款設計很不錯，配合廣告的塑造，所以奧迪在台灣的形象已經逐漸提升。

在奧迪與雙B之中，最近賓士的表現比較弱，我認為有兩個原因：第一，近年來年輕人的採購力提高了，但是賓士本身的設計仍然太老氣，不容易掌握到年輕化的新市場。第二，賓士和Swatch合作生產低價位的Smart汽車，多少傷害到賓士的品牌價值。

第二點跟豐田汽車的情形不太一樣，豐田雖然另立品牌Lexus，但是他們把這兩個品牌分得很清楚，獨立運作，而且新品牌是往更高的價位和定位走，不會把原有品牌的價值往下拉。

汽車跟電腦不同，電腦產品沒有差異化，汽車有差異化。各廠牌的汽車有不同的訴求，塑造不同的形象，所以有差異化。

不過形象是會改變的，早年富豪汽車（Volvo）強調安全性，消費者認同富豪在這方面與其他廠牌的差異，但是近年來這個訴求愈來愈不吃香，因為現在其他廠牌的汽車在安全性方面都已追上富豪的水準，差異愈來愈小。因此，富豪現在改變策略，以年輕人為主要訴求對象，改變過去那種方方

正正外形的設計，改走年輕化風格。

▌ 愈單純，愈有價值

品牌愈單純愈好，以可口可樂為例，雖然他們的產品很多，但是品牌形象最強的只有可樂，包括可口可樂和健怡可口可樂，一個產品就夠了，不需要那麼多。

基於同樣的理由，現在宏碁跟明基分開之後，兩者的品牌價值都會提高很多，因為以前還沒有分開的時候，大家要爭取共同的行銷資源，各自希望塑造自己公司產品的形象，各自計劃銷售的產品也不太一樣，造成彼此衝突，互相牽制，對品牌價值不利。

亞洲公司發展的文化原本是多元化發展，美國則因為市場規模大且競爭激烈，都朝單純專注的方向發展。新宏碁以品牌行銷全球，只能學美國文化，才有助於提升經營效率。

亞洲文化的始作俑者是日本和韓國，這兩個國家都是由大財團壟斷社會的資源，大財團經營的事業很多元，卻沒有善用資源，可能也無法有效運用他們品牌的價值，初期因為多元化發展，把品牌大量應用，似乎是多用多好，但實際上很多都是得不償失。

我常舉例說，如果統一企業要賣電子產品，一定賣得不好，問題就在品牌形象不符合，而且由於不專精，管理上也會有問題。如果一個企業集團有很多產品，其中一個失敗了，就會影響到整體。

就像以前宏碁虧損的時候，集團裡的其他成員，如：明

碁、宏科等公司，都強調他們跟宏碁無關，雖然我們的虧損並不會影響到同集團的其他公司，但是一般人不懂，以為他們會受到連累，所以品牌、企業的價值都受到很大的影響。

這就跟人的身體一樣，如果有個地方出問題，不能很快改善，甚至壯士斷腕，就會出大問題，影響到整個身體。

建立國際性品牌的挑戰

我對品牌的許多想法，恐怕有很多企業經營者不曾想過，大多數的消費者或讀者更不會知道。當然我不能保證我一定是對的，但我是過來人，過去經營品牌的過程中得到很多教訓，因此產生這些想法。

我的想法不一定適用其他國家或地區，比如說香港、東南亞或日本的現實環境可能與我們不同，所以不認同我的看法；或者他們很認同我的看法，但是難以執行，因為他們已經走上大財團的路線，非常多元化了，沒有辦法改變。

其實財團也有好處，只是財團必須在非自由化、非國際化的環境下才會有好處。財團之所以存在，就是因為政府實行保護主義，社會資源被少數財團壟斷，日本、韓國和東南亞都還有這樣的情形。

現在台灣的社會資源比較沒有被壟斷，在台灣，只要你有創意，明天就可以當股王，後天他憑著創意也可以當上股王，大家都有機會拿到資源，美國也是如此。因此，美國和台灣才會冒出這麼多新興公司。

在國際競爭的環境下，即使你擁有全日本或全韓國最大

的資源，美國的資源還是比你更大，所以在自由競爭的情況下，財團多元化的做法比較不理想，也因此我們在二造時才會強調專注、簡化。

經營企業如果要創造十的價值，只要專注做好一件事，就可以把一乘以十，如果不專注，則必須同時做好十件事，才能相加為十，前者的效益比後者大，管理也簡單多了。

以台灣為例，台灣市場那麼小，如果企業在國內要做到十，就必須同時做好很多件事；但是如果進入國際市場，只要做好一件事，就可以創造十倍以上的價值。最好的例子就是台積電，過去台灣有那麼多大財團，就輸給一個專心只做晶圓代工的台積電，以後會輸給一個只做液晶顯示器的友達，這就是單一、專注的力量。

目前台灣最有可能做到世界第一的消費性品牌是食品業。品牌的價值就在於複製，包括同一個產品的複製，或相關產品的複製，都可以創造品牌的價值。市場規模夠大才能複製，大陸龐大的人口正好提供一個大規模的市場。

1970 年代初期我到泰國時，統一企業就在泰國做「媽媽麵」了，距今已經超過三十年，也就是說，統一的速食麵早就已經國際化了，但是如果要做到世界第一，就必須靠大陸市場。

資訊產品的科技不在台灣，必須從外面取得，但食品技術全部都必須當地化，食品的研究開發也都是當地的文化，美國的食品業就是因為靠美國文化把其他地區的飲食習慣美國化了，所以能夠做到現在這麼大的規模。

因此，台灣的食品業如果有大陸市場支撐，一定有機會

成為世界第一。大陸本地的食品品牌並沒有一家像統一企業在台灣擁有這麼高的占有率，所以目前大陸的食品業者還沒有機會成為國際性品牌。

▍ 大陸企業的崛起

以大陸本地企業來看，現在品牌價值最有潛力的是家電業的海爾。海爾在大陸的白家電（冰箱、冷氣機等）市場上，已經取得領先地位，經濟規模夠大。規模大可以壓低成本，加上這個領域在國際上已經沒有太多競爭者，所以海爾比較有潛力在國際上創造品牌價值。

大陸的TCL集團目前也非常積極跨向國際，但是我認為他們承擔了很大的風險。

2003年11月，TCL與法國家電大廠湯姆笙（Thomason）合作，將兩家公司的彩色電視和DVD業務合併重組為一家新公司。2004年4月，TCL又宣布與法商阿爾卡特（Alcatel）合資成立一家生產手機的公司，在這兩項合資案中，TCL的股權比例都超過一半。

以手機公司來說，如果他們合作的目標是大陸市場，我想可以成功；但如果是以國際市場為目標，我認為情況並沒有那麼簡單。

在國際市場上，TCL與知名的法國廠商合資，很快就能提升知名度，但是很多管理層面上的問題會慢慢浮現，是否能夠創造品牌定位的價差，我很懷疑。在手機的領域，TCL面對的所有競爭者都是台灣廠商，國際知名品牌很多都是由

台商代工，國際化的運作成熟，TCL目前在國際化運作方面的競爭力恐怕還不夠。

而且，TCL是否有能力管理與湯姆笙和阿爾卡特合資的兩家公司，也有疑問。阿爾卡特在無線通訊系統上的技術不錯，手機部分則不強，而湯姆笙本身有很多包袱，問題很多，所以我想這兩項合資案到後來恐怕都會變成負數。

全世界資訊電子產業的合併案幾乎沒有成功的案例，因為這個產業變化的速度實在太快，企業沒有太多的時間改善，也就是說，產業惡化的速度遠大於企業改善的速度。

像三星收購美國的虹志電腦（AST），虧了很多錢。宏碁之前收購美國的康點（Counter Point）和高圖斯（Altos）兩家公司都失敗，也在德國和荷蘭買過公司，都不成功。

後來宏碁買下德儀的筆記型電腦業務，這件購併案本身並不算成功，因為美國市場還是虧損，清理庫存、裁員等支出，德儀付給我們的一億美元都不夠用；還有人才流失的問題，德儀在全球各地的經營團隊只剩下歐洲團隊留了下來，這些都是收購之前料想不到的。

幸運的是，歐洲留下來的德儀經營團隊在收購之後數年接掌我們的歐洲業務，才為宏碁創造利潤。

宏碁曾經有機會收購西門子的個人電腦業務，聲寶也曾有機會收購德國最大家電公司歌蘭蒂（Grundig），還好後來都沒有成交，算是幸運，因為我事後來看，覺得我們國際化的能力還不夠，購併國際級的企業很難成功。

國際購併要成功，必須要有能力、有時間慢慢消化，如果TCL的體質不夠強，吃不下來這麼大的國際企業，就會變

成消化不良。

▌ 國際化管理的能力

　　塑造品牌形象只是國際化管理能力的一部分，可口可樂或麥當勞的國際化之所以成功，不只是品牌效益而已，而是他們整個國際化的能力很強。品牌價值應該是品牌在各個國家或地區的價值總和，以品牌價值公式來表示，就是：

$$品牌價值 = \Sigma\,(品牌定位 \times 品牌知名度)_i$$

　　Σ是總和符號，i指的是國家、地區，也就是把每個國家和地區的品牌價值加總起來，才是整體的品牌價值。如果在某一個國家的品牌價值是負數，就會影響到整體的品牌價值，而且也會影響品牌在其他國家的定位和知名度。

　　品牌在各地的價值是如何創造的？必須靠當地化的管理，這是國際化的管理能力。

　　根據這個累加的公式，宏碁在台灣的品牌價值是正數，但是台灣太小了，在東南亞也是正數，在歐洲的品牌價值逐漸提高，以前在美國是很大的負數，目前在正負之間，在中國大陸市場則落後很多，雖是正數，但得分不高。

　　美國和中國大陸這兩大市場是品牌價值的關鍵所在，現在新宏碁已經站穩腳步，提高品牌總價值有待強力開發美國和中國大陸的市場。

第九章

永續企業的
基石

企業必須有自己的文化，
才有核心價值與共同努力的方向。
但塑造企業文化的時機很重要，
企業文化的再造更重要，
挑戰也更大。

　　在我剛創業的那段時間，媒體很重視企業文化的議題，經常報導，一些書籍如《追求卓越》也認為企業文化是經營企業很重要的關鍵。我很了解企業文化的重要，所以從創業之初就開始營造宏碁的企業文化。

　　簡單的說，企業內大多數人的價值觀，表現在日常工作的行為上，就是企業文化。如果企業沒有刻意塑造企業文化，就會產生兩種結果，一種是公司沒有企業文化，另一種是公司內部受到外界社會文化的影響。社會文化並不一定是企業領導人希望的文化，甚至可能會使企業無法有效經營，所以領導人必須主動積極塑造企業的價值觀和企業文化。

　　企業文化來自於價值觀，而價值觀背後根據的是基本信念（basic belief）。基本信念有兩種，一種是指公司的使命，那是公司追求的目標；另外一種則是一些想法或理念，例如人性管理，或者像有些人認為企業應該追求獲利，也有人認為企業應該對社會有所貢獻。

　　企業如果要成功，企業的使命感並不一定要有很崇高的理想性。有些人強調願景應該愈高愈好，然後再慢慢落實，我想這並不是絕對的，只是如果願景訂得愈高、愈遠，在追求願景的過程中，碰到極限的時間會比較晚，甚至比較不會碰到極限，也比較可能會有更長期和更大的成功。

圖9-1　企業文化的形成

| 基本信念
（公司使命、想法／理念） | 價值觀 | 企業文化 |

　　如果願景不夠高遠，可能努力了三、五年成功以後，很快就碰到極限，那時可能要重新建立新的理念和價值觀，萬一新舊理念互相衝突，就很麻煩。

　　當然，如果把層次拉得太高，有時候也可能會出問題。如果理想太多，可能顧此失彼；如果太理想化，又根本達不到目標，這兩種情形都算是「走火入魔」。一旦走火入魔，就得不到投資者和員工的支持，等於眾叛親離，企業無法永續發展。

■ 宏碁的企業文化

　　並不是每個創業者從一開始就有很多理念，我是因為曾經在環宇和榮泰工作過，所以在創立宏碁之初就有一些比較完整的理念，然後隨著本身條件的累積，慢慢提高我們的理想和使命。宏碁成立二十八年以來的很多價值觀，尤其是最上面的基本信念都不必變，即使在再造的時候，也沒有改變那些最基本的信念和價值觀。

　　在創業之初，我的基本信念是華人不應該再錯失第二次工業革命的機會，後來是「龍騰國際，龍夢成真」，希望華人在國際的高科技舞台上揚眉吐氣。這個理念是經過一段時間之後才開始成形。

　　1986年，我創業的第十年，已經有了一些基礎才提出「龍夢成真」這個理念。當年提出「微處理機的園丁」、「龍夢成真」時是有效的，現在則不一定有效，這是時機問題。

　　那時候教育已經很普及，很多人到國外去留學、工作，

但留在台灣的人才要如何才能做一些有意義的事情？當時的機會不是很多，不像現在比比皆是，那時都是財團，要靠政商關係才能成功。那個年代台灣的年輕人找工作沒有太多選擇，我提出龍夢成真的理念，至少為他們提出一個夢想。

當時我們發現微處理機的潛力，一起創辦宏碁的夥伴都認為，應該掌握這個第二次工業革命的機會，讓華人在經濟上更強大。於是，我們積極抓住這個契機，以「微處理機的園丁」自許，把微處理機的技術普及化，這就是宏碁的使命。

企業根據基本信念而產生很多價值觀和企業文化，這些價值觀和企業文化左右了公司的發展方向，也影響企業內個人的行為。企業文化有長遠不變的部分，也有一些必須隨著企業的發展而調整。

早期宏碁的企業文化包括不留一手、接力式馬拉松、平民文化、財務獨立自主、全員入股等等。以前我也曾強調「宏碁一二三」，也就是「顧客第一、員工第二、股東第三」，這些都是我們企業的價值觀，透過這些價值觀的實踐，讓我們的企業能夠永續發展。

隨著企業規模擴大，員工人數增加，溝通愈來愈不易，此時就必須簡化和更新企業文化。因此，在宏碁成立第十年，我們邀集高階主管共同檢討宏碁十年來所強調的企業文化精神，最後整理出新的企業文化，就是人性本善、平實務本、貢獻智慧、以客為尊。後來我們發現人性本善會產生太多誤導，所以就把人性本善修改為人性管理。

2000年宏碁推動第二次企業再造之後，再度修訂了新宏碁的基本信念和價值。

在宏碁規模還很小的時候，我就已經積極塑造宏碁的企業文化，由於「Me too is not my style.」（跟隨並非我的風格），我一直有別於一般的做法。例如，不留一手和人性管理都是大家認為對的、嚮往的，但是社會上沒有實踐的環境，所以大家沒有信心能做得成，也就沒有去做。因此，早期我很用心要在宏碁塑造這樣一個環境，讓這些價值觀能夠行得通。

例如，社會的人才由誰負責訓練？人才訓練完以後被別人挖走，你會覺得如何？我的想法是，即使我訓練的人才被挖走，但我對社會已經有貢獻，因此我還是願意訓練人才，這就是不留一手的價值觀。必須不留一手，訓練才會有效，這個價值觀著眼的是為台灣訓練更多人才。

▊ 企業文化的有效性

在塑造企業文化的過程中，發展到最後，企業文化一定會慢慢變得比較無效，也就是變得比較八股。這是組織發展的自然現象，因為隨著企業成長，組織裡的人員愈來愈多，很難再像初期規模小的時候那樣常常溝通，不得不把企業文化的精神簡化，結果就會像是口號。

此外，以前我是校長兼撞鐘，訓練員工也是我的責任範圍，公司愈來愈大之後，開始有人事單位和教育訓練單位，這些部門的人員負責解說宏碁的企業文化，但是他們不一定很清楚宏碁企業文化的本質和歷史。

比較清楚的人並不多，王振容（宏碁基金會副執行長）

是其中之一，他當然可以講得很有道理，但是他也很難解釋清楚企業文化的發展過程，每一個環節背後的思考脈絡，以及那種很深層的感情，大概只有我最清楚。

文化是否有效，與國家的強弱有關，強國會認為他們的文化是好的，大家都相信那個文化，弱國就會一直檢討自己的文化。企業也一樣，企業文化是否有效，往往視企業的經營績效而定。

1990年代初期IBM營運陷入低潮，企業文化遭到各界批評。宏碁強調人性本善，當宏碁表現好時，大家說是因為人性本善，可是宏碁表現不好時，大家也認為是因為人性本善。其實，每個組織裡都並存著企業文化的正反兩面，當組織強的時候，大家只看到企業文化好的或對的那一面，不利企業營運的那一面就被淡化、壓制。

▍塑造企業文化的時機

在組織規模還小時就開始塑造企業文化比較有效，等到規模大了之後才建立，會需要比較長的時間，而且可能比較難建立意識較強的企業文化。

企業經營績效好的時候，員工自然會相信企業文化，企業文化就會變得很強勢。此外，企業文化的再造是很重要的，如果一個組織沒有企業文化，或者企業文化不好的時候，有心的領導者一定要打破舊文化，重塑企業文化。

要改變企業文化，就要很鮮明的宣示為什麼要有新的價值觀、公司要求的新行為是什麼；更重要的是，對於符合和

不符合新價值觀的行為，都必須立即獎懲，如此才能促進企業文化的形成。

不過，塑造企業文化的時機很重要，企業在轉型時，很難塑造新的企業文化。1990年代初期，麥肯錫顧問公司日本分公司負責人大前研一派了一組人來台灣，我曾經跟他們討論過這個問題。他們告訴我，根據經驗，在公司轉型或轉弱時，並不是塑造企業文化的恰當時機。推動轉型時公司的情況還很混亂，此時很難讓員工相信新的企業文化是有效的。

因此，宏碁推動二造兩年多以後，新模式的運作已經大致穩定，歐洲賺錢，美國開始不虧損了，我們才邀集六、七十名主管，共同討論制定新的共同信念和核心價值觀，宏碁新的企業文化強調獲利、服務、專業、效率、活力（參見第一章表1-3）。

確定新的企業文化之後，我們做了很多推廣工作，直到現在還在進行。在每三個月舉行一次的總經理會議中，我們都會表揚在這段期間績效良好的單位，並提供獎金。表揚是很重要的，因為表揚是肯定那些能夠落實企業價值觀的人，讓大家了解公司重視的是哪些企業文化。

▋企業文化的傳承

企業文化必須要有傳承，才能落實在多數員工日常的行為。傳承就牽涉到中間主管的角色，企業文化必須透過中間主管的詮釋，因為我一個人能夠影響的人數不多，必須靠各級主管一起來。

　　假設我的力量可以影響一百個人，下面的主管可能比較弱一點，每個主管可以影響五十個人，再下一層的主管更弱，一個人也許只能影響二十個人。到了第三、第四層的中級主管，則是以行為而不是透過他們的嘴來詮釋企業文化。

　　我一直強調，各級主管必須掌握企業價值觀的基本概念，但是在詮釋及日常行為表現時，我盡量讓各級主管自行發揮，並沒有硬性規定一定要怎麼做才對。企業文化是用塑造的，是慢慢「捏」出來的，看起來形似就可以了，沒有一定的模子，並不是要塑造一群一致的人。

　　有些行業如美容業，要求員工每天穿著制服跑步、喊口號，這些都是用外在方法來塑造企業文化。但是宏碁的事業不是靠外在的一致性，高科技的研究發展是以腦力為主，只能用潛移默化的方法來改變內心的觀念。

　　當然，放手讓不同的主管各自詮釋企業文化，有時可能會出現偏差。如果一個主管的行為違反公司的價值觀和文化，他底下的員工都會受到影響。我們會找出問題的癥結，如果問題是這名主管的訓練不足，就加強訓練和溝通；如果該主管本質上就不認同公司的企業文化，則不如讓他離職。

　　我在創業初期就開始塑造企業文化，一點一滴的推動，從中得到很大的成就感，因為我在創造歷史。我在推動企業再造時也很有成就感，反而是在公司營運上軌道時，雖然工作壓力比較小，但是賺再多錢、業務做得再大，成就感卻沒有像塑造企業文化和再造時那麼大，因為對人生的挑戰不太一樣。在困境裡想出一些辦法來突破，成就感比較大。

　　美國安隆案等企業舞弊的重大醜聞爆發之後，各界開始

正視公司治理（corporate governance）的重要性。我認為公司治理是企業文化的一環，公司治理的根本是治理文化。我曾經仔細思考過公司治理，想通之後，我用八個字來說明公司治理的內涵：「誠信、公平、透明、責任」。

▋ 誠信與公平

誠信的重要性大家都很清楚，但是社會上處處可見沒有誠信的行為，像是政治上的自肥方案，在企業界則是公私不分，利益輸送。

一般大眾不一定認同這些欠缺誠信的行為，我們所受的教育也告訴我們這些都是不對的行為，但是在台灣社會，這些都是顯性文化，大家見怪不怪，因此整個治理文化就產生問題。

為了避免這種情況，我向來都公私分明。例如，我不會把公司傳給我的子女，因為雖然我是公司的創辦人，也是最大的股東，但是公司還有很多其他的股東，我不能把公司當作是自己一個人的。這些話講起來容易，但在當今的社會環境下，要能堅持做到並不容易。這是我的價值觀，我認為必須從價值觀和企業文化著手，才能解決公司治理的問題。

誠信最常牽涉到的就是跟員工、生意夥伴和消費者之間的誠信。內心有誠信還不夠，因為執行的能力和經驗也都關係到是否能真正做到誠信，是否能滿足員工、生意夥伴和消費者。假設因為執行的疏忽而造成問題，有誠信的公司不會掩飾，他們會坦白承認那是錯誤、瑕疵，然後著手改善，如

果沒有秉持誠信原則，情況只會愈來愈糟，形成惡性循環。

　　公司治理的第二個要素是公平，經營企業最常牽涉到公平性的就是股東和員工。

　　員工是廣義的，從總經理以降都算是員工，在很多公司，甚至董事長都算是員工。雖然董事長是股東的代表，而且政府也不認為董事長是員工，但是在實際運作上，董事長或執行長是經營這個公司職位最高的人，是幹部也是員工。員工之間講求公平，例如採購不應該拿回扣，因為如果藉職務之便多拿一點好處，就會對別的員工不公平。

　　股東之間也要講究公平性。公司根據股權大小選出董事會和董事長，是為了代表股東，但如果談到公平性，只要擁有一股就是股東，所有股東都站在完全平等的基礎，否則可能就會有人懷疑大股東因股權多可以得到內線消息而謀利。

圖9-2　宏碁的公司治理原則及宗旨

公司治理原則

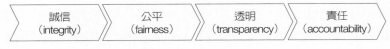

誠信	公平	透明	責任
（integrity）	（fairness）	（transparency）	（accountability）

公司治理宗旨

- 創造股東、客戶及其他利益相關者的價值
- 重視小股東的權益
- 追求股東、員工及專業經理人之共贏
- 落實公司經營權與所有權之責任分立
- 建立資訊透明化之機制
- 提升企業形象
- 追求企業永續經營的價值

　　利用內線消息就是不公平，因為這是利用別人沒有的資訊為自己謀求好處，但是社會的文化早已認定大股東就是會利用內線消息得到利益，大股東會認為，既然大家都已經這樣想，不拿好處白不拿，這又是文化的問題。

　　既然這些做法是不對的，為什麼沒有人能夠改變？這與治理文化有關。在這樣的社會環境裡，你必須堅持公平的價值觀，自我約束，才能做到真正的公平。

　　我在觀念上和做法上常常會跟很多人有衝突，因為我的解決之道就是，一旦發生任何事情，我都先把自己擺在一邊。如果每個人都是先想到自己，就會犧牲別人的利益，所以我向來都是先想別人，想完別人再想這樣對自己公不公平，這樣至少能夠平衡，偏差就會比較少。我之所以這麼做，是因為我認同公平的價值觀，自律規範自己的行為。

　　為了切實做到公平性，身為大股東的我寧可讓自己的權利打折。例如在我創立宏碁初期，我和我太太雖然擁有公司一半的股權，但是如果有半數創業夥伴反對，就可以推翻我的決策，這就是尊重小股東權益的做法。

　　小股東的權益跟大股東一樣，我認為這就是公司治理所談的公平。我身為董事長，對股東負責，自己又是最大的股東，我的決策如果能保護小股東的利益，就等於是保護自己的利益，我是用這樣的態度來治理公司。

■ 透明與責任

　　公司治理的第三個要素就是透明，公司決策的過程必須

透明化。我在董事會的決策，或者公司的很多決策，絕對會事先徵詢大家的意見，不會黑箱作業。例如員工的薪酬和獎金，雖然這些都是保密的，但是如何決定薪酬和獎金，人事單位都有很清楚的資料。

在董事會和公司的許多重要決策當中，對公平性和透明性最重要的一點就是利益迴避。與你的利益有關的事情就不能參與決策，決策過程也必須透明化。比如說，我的第二個孩子宣麟成立運動行銷公司，與宏碁有合作，雖然宏碁委託的金額很小，但是我仍然避免參與整個決策和商談的過程。

一直以來，我的孩子都沒有進入宏碁工作，我也從未打算把公司交給他們。我的想法是，把公司交給我的兒子並不公平，因為這是公私不分；此外，這麼做不一定對公司有利，因為會擋住很多人的機會，而且我的兒子並不一定最有能力來管理公司。

我是從互惠的角度來看宣麟的公司和宏碁的合作案。我兒子並不打算進宏碁工作，而且宏碁的合作案對他只是助力之一，他不能、也不會只靠宏碁來發展他的新事業；從宏碁的角度來看，我兒子在運動行銷方面的專長對宏碁有很大的幫助，因此，這樁生意對雙方都有利。

只不過在決定的過程中，我因為有利益的衝突，所以完全不介入決策，全部由王振堂他們做決定，合約、價錢等等所有的細節也都由他們去談。

公司治理的第四個要素是責任。責任有很多種，最大的責任就是我必須負起帶領組織的責任。公司該進行再造時，我也應該負起責任推動再造。公司面臨問題時，例如董事對

公司有一些意見，或者外資對美國市場虧損有很多意見，我的責任就是要想出解決之道。

　　公司績效好時，職位較高的人可以得到比較高的績效獎金及分紅，但是公司績效不好時，則要保障下面的員工，因為這不是他們的責任，而應該由高階主管負起責任，例如不調薪或取消獎金。

落實治理文化

　　這些做法都是根據我們長久以來的價值觀，所以我認為公司治理屬於文化的層面。我和張忠謀都是亞洲企業協會（Asian Business Council，簡稱ABC）裡公司治理的委員，我們曾經草擬了一份有關公司治理的準則，完成之後我們並沒有推動，只是提交大會供大家做參考，因為公司治理是一種文化，各國的文化和環境不太一樣，很難一體適用、推行。

　　在上位的人、做決策執行的人才是公司治理的關鍵，只有CEO能夠塑造治理文化，用他的價值觀慢慢影響整個組織。要塑造文化就需要有形、無形的獎懲，讓大家了解CEO認同和不認同哪些行為和價值觀。因此，凡是違反誠信、公平、透明、責任四項原則的各層主管，都必須加以懲罰，切實執行的主管則應受到獎勵。

　　我在開董事會時，例行報告、行禮如儀的部分都不會浪費太多時間，但是如果有值得討論的議題，我就會展開討論，除了當事人提出說明之外，大家都發表意見。

　　我也會特別注重與公司治理相關的部分，看看有沒有不

公平的地方、有沒有誰必須負責任之處等等，這些都是落實
公司治理很重要的做法，但都不是台灣一般的文化。

　　為什麼不是台灣的文化？這是有歷史淵源的，那就是
家天下的做法，從國家到企業到組織，都是家天下，由來已
久。我在創業之前任職榮泰電子，就面臨公司治理的問題，
榮泰的董事長將公司借貸的錢挪用支援家族經營的紡織廠，
結果紡織廠虧損，危及公司，這是公私不分的結果。公司治
理做不好，是少數人的行為影響多數人的權益。

　　社會上大多數人認為家天下不對，但是卻又不願意突
破，使得這種錯誤的價值觀變得根深柢固，很難改變，那麼
就由我來突破。挑戰困難、突破瓶頸、創造價值是我一直奉
行不渝的信念。

　　我創立宏碁二十八年來，一直堅守公司治理的原則，落
實治理文化，取信於所有的董事，所以宏碁在經營過程中一
直能夠獲得董事的支持，尤其是在面臨困境時。

■ 外部董事的角色

　　外界有些人把外部董事當作一個很重要的指標，認為有
外部董事就表示公司治理做得好，我認為這種看法太表面。

　　一般而言，外部董事都是董事長選的，他們不太可能提
出比較尖銳的意見，也不太會講一些嚴重破壞董事長威信的
話。除非像美商應用材料公司（Applied Materials），董事會
成員當中只有兩位是內部人員，其他都是外部董事，因此董
事比較能夠暢所欲言，與經營者的看法不同時，也可以坦白

提出來。

　　但是台灣沒有那樣的環境，台灣比較講究和諧，所以外部董事很難暢所欲言。除非有一些公司的領導人很重視公司治理，比較能發揮外部董事的功能。

　　宏碁很早就有外部董事，1984年我們邀請大陸工程創辦人殷之浩先生投資宏碁，並擔任宏碁的董事。江萬齡和馮經國也曾在1988年上市後擔任宏碁的外部董事，江萬齡曾經擔任中華開發公司總經理，馮經國是香港利豐集團主席，亦擔任香港機場管理局主席。

　　以前《公司法》規定，一定要具備股東身分才能擔任董事，所以早期我們的外部董事都是多少擁有一些股權，直到2002年財政部證期會頒布行政命令之後，才允許非股東擔任外部董事，稱為獨立董事。

　　張忠謀也很重視公司治理，他聘請美國麻省理工學院（MIT）經濟學教授梭羅（Lester Thurow）和前英國電信公司執行長邦飛（Peter Bonfield）擔任台積電的外部董事，我也是台積電的外部董事之一，哈佛商學院教授波特（Michael Porter）則受聘為獨立監察人。

　　當然，台積電也是因為發行美國存託憑證（ADR），因此邀請多位外國知名人士擔任董監事，這麼做有助於提高外國投資人對他們的信心。

　　外部董事並不能保證公司治理做得好，我認為更有效的做法是讓董事會的組成多元化。

　　一直以來，我都維持董事會的組成包含三部分：大股東、經營團隊、外部董事。從我創立宏碁以來，除了創業者

大股東擔任董事之外，我也引進小股東代表，就是公司的幹部，每年董事會都邀請數位幹部輪流列席董事會，雖然沒有正式登記，但我稱呼他們為「準董事」。

我會讓準董事發表意見，雖然他們不見得會提出看法，但他們的出席就表示董事會決策的透明性，不怕別人了解。

我要特別強調，每位董事的背景雖然不同，可是一旦進入董事會，就必須拋開自己的立場，不能只考量自己利益，而應該從公司整體利益的角度做決策。

有些國營事業的工會要求取得董事席次，是為了到董事會裡爭取員工利益，這樣的出發點就不正確。

員工代表擔任董事的確有其代表性，但是董事會成員來自不同的背景，是為了維持決策過程的公平和透明，比較不會做出重大的錯誤決定，而不是讓不同代表性的人到董事會來爭取自己的利益。董事會做決策時必須以整體公司的利益來考量，對公司才是最有利的。

這樣講好像很理想化，但是我實際上真的這麼做，而且做出了成效。例如，我們在考慮投資德碁時，經營團隊都想投資，但我自己並不想勉強投資，所以一直提出負面因素請董事會，尤其外部董事考慮。還有一個例子是，我們考慮投資台灣大哥大時，同樣是其他董事都贊成而我不贊同，因為這不是宏碁的核心事業。

在這兩個例子中，雖然我是主席，而且我都保持中立或者甚至反對投資，但是大家都贊成，我就必須服從多數，不能一意孤行。我原先也反對經營樂彩公司，因為這跟賭博形象有關，我擔心多少會影響宏碁的形象，但是其他的董事都

贊成，後來我提出一個條件才同意這件投資案，那就是樂彩賺的錢要撥一部分來做公益。

　　上述三個計畫都是台灣很重要的投資案，像這種重大決策，很少有公司的董事會是這樣做決策的，但我就是完全丟開自己的立場，尊重多數董事的意見。如果不參考別人的看法做決策，就比較容易有盲點。

　　經過透明而慎重的過程所做的決策，即使結果失敗了，我也不會後悔，身為董事長，為失敗負起該負的責任，讓我覺得很舒暢，這就是公司治理的精神。

▋ 財務規劃

　　財務規劃分為兩種情況，正常時期和變革管理時期的財務規劃。正常管理時期的財務規劃比較簡單，重點在於財務結構的健全，自有資金比例要夠高，多跟幾家銀行往來，不能只靠一家銀行。

　　為了維持財務的獨立自主，籌資應該多元化，包括國內和國外的籌資，同時也要考量時機和成本，然後善用現金增資、可轉換公司債、全球存託憑證（GDR）等不同的工具。公司在成長的時候，財務規劃的目標就是要配合公司的發展，取得所需的資金。

　　雖然宏碁一直強調財務的健全性，但還是出了問題，而且兩次財務出問題都跟德碁有關。

　　宏碁第一次財務出問題是在1991年，也就是第一次企業再造之前。我們原先經營很順利，之所以會出現財務問題，

主要是突然發生很多變化，美國市場虧損，德碁虧損，而原本賺錢的業務開始減少獲利，很不幸這些變化都是同時發生。我們從未設想到會同時發生這麼多變化，因此財務就出了問題。第二次財務出問題則是德碁本身的財務出問題。

　　面對公司的財務問題，我的原則是只能虧股東的錢，不能虧銀行的錢。《公司法》規定得很清楚，股東跟公司共存亡，採取股份有限制是為了讓大家一起分攤風險，股份虧完了責任也隨之結束，所以要虧只能虧股東的錢，不能虧銀行的錢或應付帳款債權人的錢。要做到這一點，在借貸前必須維持夠高的自有資金比例，才不會虧到銀行的錢。

　　這是我對於財務規劃的概念，也是治理文化很重要的精神。台灣一般的文化是，當公司面臨財務危機時，負責人先保護自己的錢和利益。也許有很多人的想法跟我一樣，只是到了緊要關頭，還能堅持這項原則的人恐怕很少，但是我盡力做到了。

　　為了解決財務問題，我的因應之道是反求諸己。首先從內部籌錢，能處理的財產盡量處理，包括不動產、股權等。第二是節流，要花錢的計畫全部暫緩，例如長期投資、後續性投資計畫，全都擱置。第三，向銀行爭取暫緩抽銀根。

　　要銀行不抽銀根很不容易，因為大家都慌了，誰會相信我先虧股東的錢、不虧銀行的錢？雖然我一向都很誠信，但全台灣的銀行恐怕沒有一家相信我會優先還銀行的錢。然而我還是堅持我的原則，盡力說服銀行，銀行雖然不太相信，不過如果抽我們的銀根，對他們也沒有好處，所以只好暫緩抽銀根。

　　當時銀行界大概只有梁國樹（當時擔任交通銀行董事長）對我們有信心，倒不是他的銀行金援我們，而是外商銀行打電話徵詢他對宏碁的看法，他說他認為宏碁可以解決問題，而且交銀不會抽宏碁的銀根，他的說法有助於穩住其他銀行對我們的信心。

▌ 宏碁二造後的財務規劃

　　2000年宏碁推動第二次再造時，完全沒有財務危機，因為我們持有很多長期經營有成果的股票，隨時都可以變現。

　　二造之後的這幾年，我們淡化非核心事業，陸續處分轉投資事業的股票之後，我們的財務規劃將資金運用分為三種用途：

　　第一，專注於核心事業的投資。目前這項用途所需的資金不多，因為在新經銷營運模式之下，業務規模擴大，但所用的資金不多，只有未來微巨電子化服務成功時，才會需要大筆資金。

　　第二，還錢給股東。每年穩定發放相對較高的現金股利。

　　第三，買庫藏股。低價買進庫藏股進行減資，原本就是我們長期規劃的既定方向，從2003年起就已數度實施，在2004年3月20日總統大選之後，政局和股市都呈現不安定的氣氛，我們召開臨時董事會，決定再度實施庫藏股措施。

　　趁股價較低的時機買庫藏股對股東比較有利，媒體卻用「護盤」這兩個字來形容，我認為不太妥當。股價愈低，我們買庫藏股的成本就愈低，對公司同樣有利，因此每股盈餘

（EPS）就會愈高，這樣對宏碁的股東比較有利，所以我其實並不想護盤，而是想「撿便宜貨」。

實際上，護盤是護不住的，護盤到最後反而對股東不利。

找對的時機來買庫藏股，這個決策本身很坦蕩，因為都是為了公司和股東的利益，除非我們買得太多，資金不太夠，才會出問題。

目前我們不需要這麼大的股本，減資是對的，等到三、五年之後，當業務成長需要更多資金，那時再增資比較合理。

我不必為了三、五年之後才會需要用到的資金，現在就先籌資放在公司，這麼做反而對公司不利，因為假設我們資產報酬率的目標是15％，很難找到一個投資機會可以讓這些先籌進來的資金達到15％的回收，存在銀行的利息才1％，等於是閒置資金。

這些道理都很清楚，但是很少人真正做得到，理由很簡單，因為手中一旦握有資金，心態上就很難放棄運用這些資金的權力，要像我做到享受大權旁落，實在很難。

其實我做的很多事，都是選擇了一個違反人性而又最符合人性的方法，違反的是我的人性，因此我要享受大權旁落，結果符合了大家所希望的人性，也就是讓其他人獲得授權。之所以能夠這麼做，都是因為我習慣反向思考，也願意反向思考，不只經營管理時如此，財務規劃時也是如此。

第十章

展望台灣產業
的未來

從資訊時代進入知識經濟時代，
服務業的發展空間更勝過製造業。
如何重新定位自己的角色與做好資源分配，
不僅是宏碁的挑戰，
也是台灣產業未來的挑戰。

▌來自關鍵性零組件的競爭力

　　台灣高科技產業的競爭力之源在關鍵性零組件，即使成品的競爭力也是來自零組件，過去三十年來如此，未來也是如此。

　　根據電機電子工業同業公會的統計，台灣過去三十年來電子資訊產品的外銷是零組件占50％、成品占50％；而在外銷成品所占的50％當中，大約有三成至五成採用本地的零組件，這表示我們成品的競爭力還是靠台灣的零組件。

　　台灣零組件的種類齊全，又具備國際競爭力，外銷實績說明零組件在台灣占有極重分量，而且我們的成品也是靠國內零組件做後盾，才能在國際上競爭，因此零組件在台灣高科技產業扮演極重要的角色。

　　目前台灣資訊電子業輸出到大陸的產品也是以零組件為主。在兩岸的現行法令下，我們無法輸出大量成品到大陸，所以很多都是輸出零組件到大陸，在大陸加工為成品，然後再銷往全球各地。

　　一般而言，零組件的附加價值比成品高得多，利潤率應該比成品高二至三倍。零組件有很多是資本密集的產品，例如積體電路（IC），所以毛利率和淨利都高。台灣高科技產業的關鍵性零組件最主要的代表就是IC和液晶顯示器。

　　至於成品部分，目前台灣最具競爭力的是個人電腦及其相關產品，台灣除了筆記型電腦是世界第一之外，和個人電腦相關的主機板、繪圖卡、網路卡等產品也都是世界第一。未來規模比較大的成品應該是在通訊領域，例如手

機，不過目前我們的世界占有率仍相當有限，落後於諾基亞（Nokia）、摩托羅拉、三星等。未來還有另外一個很大的市場，就是數位家庭（digital home）相關的產品，這個市場的發展將會很快。

零組件對台灣產業如此重要，因此未來產業發展的趨勢裡，絕對不能忽視零組件，而且零組件往往是在微笑曲線的左邊，附加價值比較高。

此外，由於台灣的零組件相當齊全，未來我們可以不斷應用零組件來設計更多的創新產品，尤其關鍵性零組件應用的範圍很廣，可以藉此進入新的產品領域，數位家庭就是其中的代表，更廣泛的說，應該是數位產品。

當年日本的消費性電子產品橫掃全球，除了是靠企業的規模大，有自己的品牌，也是因為他們擁有很多關鍵性零組件，足以支持他們在國際上競爭，慢慢將競爭者淘汰出局。

未來數位產品的創新應用是無可限量的，而這些創新應用的兩大要素就是軟體和IC，這兩者等於是整個產品的靈魂，此外，通常還需要加上一些輸出入設備（I/O），例如顯示器，還有儲存設備，例如數位影音光碟（DVD）。未來的數位產品基本上都是採用這樣的架構組合，其中台灣在IC、液晶顯示器和DVD方面都很強。

除了產品架構之外，還有一個表現於外的重要因素就是設計，即設計製造代工的設計。設計包括內部的線路設計，以及外形的工業設計，前者比較屬於電子領域，後者比較多的是機械的部分。

簡單的說，未來台灣產業發展的策略應該有兩大主軸：

第一，一定要繼續投資、發展兩大關鍵性零組件，IC和液晶顯示器；第二，以這兩項關鍵性零組件為基礎，不斷開發數位產品的新應用。

▎「兩兆雙星」計畫

經濟部針對未來產業的總體發展擬定了「兩兆雙星」計畫，其中「兩兆」指的就是半導體和影像顯示產業，未來這兩個產業的產值都可望達到兆元新台幣。從這麼大的產值就可以看出IC和液晶顯示器這兩項關鍵零組件的分量，而且又是資本密集的產業，所以未來一定是台灣高科技產業最重要的基礎，當然要繼續發展。

要使這兩個產業更上一層，提升全球競爭力的優勢，除了必須在製程研究發展上取得領先之外，還必須將這兩項關鍵性零組件做不同的應用。

IC的應用要靠IC設計公司，液晶顯示器的應用就是把大大小小的螢幕應用在各種不同產品的設計裡。液晶顯示器的應用跟包裝技術有關，也跟IC設計有關，因為液晶顯示器本身就有很多IC，然後再加入更多的IC，等於是加入更多的智慧，這些智慧就是很多的創新應用。

從上述的架構來看，未來整個台灣的產業還是以B to B（企業對企業）業務為主軸，而不是B to C（企業對消費者），因為關鍵性零組件的本質就是B to B。國內的成品外銷也是以B to B為主，未來仍將繼續借重國內「兩兆」產業的條件，生產不斷翻新的數位產品，靠設計製造代工和製造代

工來開拓全球市場。

這其中牽涉到台商如何借重大陸的生產能力，繼續掌握全球市場，而台商本身真正掌握的要素仍是關鍵性零組件。

當然，自有品牌或 B to C 業務，仍是一個值得追求的方向，只是從生意的本質上來講，台灣比較欠缺這方面的優勢。除非將來有一天，台商在大陸市場的運作就像在台灣市場這麼有效，台商可以把大陸市場當作腹地，才有可能發展自有品牌的 B to C 業務。

如果這個問題不解決，台灣廠商要建立更多以台灣為基礎的 B to C 全球性品牌並不太容易。

由 B to B to C

不過，在 B to B 和 B to C 之間，也許台灣還有一個可能的機會，就是像英特爾那種 B to B to C 的品牌。英特爾是 B to B 品牌，但是他們推動「Intel Inside」計畫，以強力行銷在一般消費者心目中建立強勢的品牌形象。

未來台灣也可以考慮推動「Taiwan Inside」，從既有的 B to B 基礎再延伸到 C，成功的機會比較大，因為台灣的 B to B 已經有相當好的實力，有很多 B to B 產品已經做到世界前三大。

其實對商務人士而言，台灣的形象已經確立，在資訊產品的 Taiwan Inside，是實質存在而名不存在。

要讓名存在，就要讓台灣的創新變成顯性而為一般消費者所知，可以有兩個做法，一個是建立自己的品牌，比較容易讓消費者知道，另一個是像英特爾一樣，強調所有客戶的

產品都是Intel Inside，甚至於掛上Intel Inside就代表產品具備優異性，如果Taiwan Inside能夠做到這個地步，就能變成顯性，讓一般消費者有印象。

當然，從B跨到C的這一步並不容易，當初英特爾推動Intel Inside的初期，宏碁很抗拒，後來沒有辦法，只好接受。如果靠個別廠商很困難，也可以考慮採取產業聯合的形象，例如外貿協會的「全面提升產品形象計畫」強調台灣的創新價值（innovalue）。

這項計畫希望建立It's Very Well Made In Taiwan（台灣精品）的形象，可惜在國際上並不是很成功，因為廠商不一定很樂意參與，不想太強調自己的品牌跟台灣的關聯。此外，那個計畫的廣告費用並不多，甚至比宏碁的廣告費用還少，很難帶來效益。

宏碁在台灣算是比較特別的例子，因為宏碁從創立之初就開始打B to C品牌，跟別人走不一樣的路，雖然這條路很辛苦，但是只能繼續走下去，這是宏碁的宿命。

我不敢說每家公司都應該像宏碁走上B to C品牌的路，畢竟現階段台灣並不具備這方面的條件，如果硬要出頭，可能會得不償失。也許要等到大陸市場就像台灣本地市場一樣的環境時，就可以做為台商B to C國際化的基礎。

▌制定全球產業標準的省思

目前對大陸的外商和台商而言，主要有三個障礙：

一、非關稅障礙，大陸加入世界貿易組織（WTO）之

後，還是有加值稅（VAT）等貿易障礙，不過這個情況會慢慢改善。

二、當地的放帳問題。

三、當地化的管理能力。

至於在產品方面，如果是大家都具備的產品競爭力，包括大陸廠商也有的能力，台商就沒有優勢。

目前既有的產品，台商要掌握大陸市場的機會不是很大，個人電腦、電視等產品都是大陸本地廠商占上風，手機市場的主導權也慢慢從外商轉向大陸本地廠商，台商因為無法取得執照，不能在大陸銷售，只能跟大陸本地的品牌合作，也無法完全掌握大陸市場。

因此，台商必須把希望放在未來的數位產品，只要我們數位產品的創新和技術都能夠領先全球，這些數位產品自然就有機會開拓大陸市場，在大陸市場慢慢建立規模之後，再以此為基礎進行全球化。

展望未來，與台灣競爭的國家大概只有韓國。韓國跟台灣一樣，掌握好幾項關鍵性零組件的技術，像是液晶顯示器、動態隨機存取記憶體、分碼多工等。

不過韓國的產業結構跟台灣不同，台灣的結構是分散到大大小小的公司裡，跟美國矽谷的結構比較類似，韓國產業的骨幹則是只有兩、三家大財團，像三星或樂金，各個財團內部都掌握了關鍵性零組件，所以在這場競爭之中，韓國廠商會有競爭力。

大陸雖然有成品的能力，但是如果沒有掌握關鍵性零組件，成品規模做得再大也是沒有根。日本原來也有關鍵性零

組件的優勢，現在慢慢被韓國和台灣取代。

　　美國則仍保有兩項核心能力，一個是中央處理器，以及最關鍵的軟體，至於儲存設備，原先美商仍居主導地位，但利潤偏低，導致IBM放棄儲存設備業務，由日本的日立（Hitachi）收購。

　　美國還有一項很重要的優勢，就是產業標準，因為美國不斷創新，走在全球之前，所以有很多產品的產業標準都是由美國訂定的，包括學術界和電子電機工程師協會（IEEE）之類的組織。

　　台灣沒有條件制定全球的產業標準，大陸則一直很希望爭取訂定產業標準，取得控制的地位。2003年大陸自行訂定無線區域網路的安全標準（WAPI），原訂在2004年6月實施，但是美國反對，2004年4月大陸的副總理吳儀率團赴美協商，結果同意無限期延後實施，美國也做出讓步。

　　我的看法是，爭取訂定產業標準的主導權並不是件簡單的事，而且現階段也不見得對國內產業有利。過去日本曾經自行訂定個人電腦的標準，而掌控了日本市場，但也失去了全球市場，日本的個人電腦因此失去全球的競爭力。此外，日本想要制定高畫質電視（HDTV）的全球標準，可是遭到歐盟跟美國的封殺，所以產業標準是政治問題。

　　大陸要自己訂一個標準並沒有問題，問題是這麼做對大陸的產業是利是弊，還很難說，以現階段來講不一定有利，等到大陸的實力更強之後，才會比較有利。目前很多基本的技術和專利都已經開發出來，即使大陸自行制定一個標準，也是根據既有的技術和專利，只能跟國際的標準平行而不能

替代，因此到最後大陸自己的標準恐怕只能保護在本國銷售的廠商，這麼做究竟有多大附加價值，值得再研究探討。

科技化的服務業

除了關鍵性零組件之外，未來產業發展還有一個很重大的趨勢，就是科技化的服務業。未來在知識經濟裡，必須對知識不斷進行創新和應用，而非創造本質上是全新的知識，像零組件裡面包含很多知識，將這些知識創新應用，就可以提高附加價值，這就是知識經濟的內涵。

而且我們發現，知識的創新應用，未來在服務業的發展空間比製造業還大。在經濟體系裡，服務業占三分之二，製造業占三分之一，農業的規模太小所以暫時先忽略。雖然大家都說製造業是根，沒有製造業就沒有服務業，但是如果服務業做得好，對經濟的效益比製造業高，因為服務業的規模比較大，可以改善的空間也比製造業大。

例如，最近很受重視的供應鏈管理（supply chain management）當中，控制整個供應鏈運作的資訊科技本身就是服務業，各項材料的全球運籌管理是服務業，金流的有效安排和調度也是服務業，在整個供應鏈管理過程中降低的成本，比個人電腦產品本身能降低的成本高得多。

個人電腦的材料和製造，每家廠商都差不多，戴爾的直銷模式和宏碁的新經銷營運模式之所以致勝，就是靠有效的服務機制整合貫穿整個流程，形成非常有效的競爭優勢。因此，就個人電腦而言，真正的競爭應該是在微笑曲線的右

邊，競爭優勢的來源則是整個通路和後勤物流的服務水準。

　　這個例子說明，未來經濟要有效發展，尤其面對未來高科技數位產品數量大、毛利低的趨勢，必須借重全球服務產業體系，有效提升自己的通路和後勤運籌系統。在全球分工整合的趨勢下，成衣業和鞋業早就已經運用這種方法來提升本身的競爭力，例如耐吉公司就是如此。

▊ 利用科技複製 know-how

　　服務業之所以能夠大幅增加效益，最主要就是靠科技化，尤其是資訊科技。例如，現在流通業都必須透過科技化來控制，像優比速（UPS）之類的快遞公司如果沒有資訊科技支援，根本沒有辦法運作，這就是服務業科技化的例子。

　　此外，金融業也必須科技化，例如目前個人金融最普及的信用卡，背後都要靠很多資訊科技來有效運作；又如手機現在可以做為付款的機制，也都必須仰賴規模龐大的資訊服務系統，而不是只靠手機本身。

　　醫療是另一個科技化潛力很大的服務業。醫療照顧服務產業的市場，一方面可以利用科技化的工具來提升醫療的品質和效力，包括電子儀器或資訊系統；另一方面，透過科技化複製醫療管理，應用到不同的地區，就能擴大市場規模。

　　目前台灣的醫院已經有藥品使用的資料庫，每一種病使用哪幾種藥治療，都能用電腦系統直接查詢，醫師開藥時也可以利用資料庫來確認處方。此外，現在健康檢查都已經電腦化，健檢結果可以跟標準與自己以前的健檢結果做比較。

　　醫療本身是知識產業，支持醫療的資訊系統本身也是知識產業，像這些醫療管理、醫院管理的系統，都是可以複製的。例如複製這些系統應用到大陸，就能開拓大陸市場，對大陸而言，他們在經濟發展之後也會愈來愈重視醫療，我們把這些系統推廣到大陸，對他們也很有好處。

　　服務業擁有的是營運知識（know-how），由人來執行，以提供服務。要能夠有效複製這些know-how和知識，往往都要靠資訊系統。例如，便利商店的運作最重要的不是收銀機旁的員工，而是選貨、存貨、補貨的know-how，這就要靠資訊系統。

　　此外，服務業要靠人來提供服務，如何訓練人，提高服務的品質，也要利用科技化的工具。如果沒有科技化的工具，人員的養成訓練要花更長時間，有了科技化的工具，可以很快訓練大量的服務人員，提供物超所值的服務。

　　有了科技化的基礎之後，才有機會突破服務業需要當地化的本質，走向國際化。在這方面，我希望大陸的市場腹地可以做為台商服務業未來國際化的基礎，這會比製造業的國際化帶來更高的附加價值。

　　一般而言，服務業必須當地化，所以往往必須跟當地的企業合作，就像硬體產品要透過當地的經銷商來銷售產品，服務業也是由當地合作企業來提供服務，這就是知識的複製，附加價值和經濟效益都會比硬體產品的複製更高。

　　服務業的國際化也需要國際化的管理能力，包含管理當地人、借重當地服務體系等，這些都與製造業產品國際化的情況相同。

　　服務業科技化之後，知識含量增加很多，競爭障礙也比一般產品高出很多，所以科技化服務業是產業升級的一個重要方向。

　　此外，服務業是整合的事業，科技化可以使服務業的整合變得更簡單。硬體產品必須整合很多關鍵性零組件，但是整合有形、理性的東西比較簡單，服務業整合的大部分是人，或者是與當地的文化整合，這些往往比較沒有標準，變數也比較多，所以比硬體的整合困難。

　　如果要簡化服務業的整合，就必須先能夠將服務標準化、模組化及科技化，科技化的含量愈多，就愈容易量化，也愈容易整合。這是台灣產業發展下一波亟待突破的挑戰，如果能夠挑戰困難，突破瓶頸，就可以創造很高的價值。

　　因為一旦突破這個瓶頸，就可以擴展到大陸市場，隨著大陸經濟成長，大陸的服務業市場成為一個新興的龐大市場，目前競爭者尚未取得絕對領先的地位，而台灣服務業的實務做法可能更適合大陸的需求，就像當初統一是從日本而非美國引進7-ELEVEN，因為日本便利商店系統的實務更適合台灣。

▓ 定位台灣為矽谷第二

　　台灣產業未來的發展，還有另外一條路：把台灣定位為矽谷第二。

　　我認為矽谷真正的意義不只在於創新的技術，而應該在尖端技術之外，再加上創投產業跟創業精神，還有來自全球

最優秀人才的結合。

　　台灣在創業精神和創投方面都沒有問題，至於技術，隨著「兩兆」產業（IC和液晶顯示器）不斷發展，基礎也會愈來愈好。如果技術要能夠不斷創新應用，而且要以大陸為腹地，搶攻全球市場，那麼就必須要能吸引國際上優秀的人才來台灣創業，在台灣上市，然後在台灣致富，在台灣生根。

　　現在大家都說台灣下一波的發展欠缺國際人才，所以要引進國際人才，但這麼做並非長久之計，因為引進之後他們只是受雇於台商，不見得留得住他們的聰明才智，就像我們的人才到美國去，早期受雇於美國公司，即使已經取得美國籍，到最後還是出來自行創業。

　　所以我認為，必須要把台灣變成矽谷第二，讓國際人才在台灣找到能夠發揮其聰明才智跟創業精神的機會，他們創造的是台灣的公司，他們跟台灣的創業者是合夥關係。

與印度共創雙贏

　　我現在計劃吸引國際人才的第一個目標是印度，印度和台灣的合作可以創造雙贏。台灣未來的發展欠缺軟體，而這正是印度最擅長的。從印度的角度來看，印度原本從事軟體的代工，現在想要升級，像台灣的硬體產業一樣，從代工做到設計製造代工，軟體的設計製造代工要有市場，很多時候必須跟硬體整合，所以與台灣合作對印度未來的發展也有利。

　　印度與台灣的合作，可以掌握的資源面包括大陸和印度，以台灣為據點，整合大陸和印度的人力資源，外包到大

陸和印度。矽谷則不同，矽谷是靠美國自己的市場和資源為主，有時也透過華人來利用一些亞洲的資源。

美國IC設計產業的中堅就是印度人跟華人，所以有人說IC的I代表Indian（印度人），C則代表Chinese（華人）。同樣的，我希望可以促成印度人和台灣人合作開創未來IT（資訊科技）新產品的新應用，I與T分別代表Indian和Taiwanese。

印度是我設想的第一個目標，但我們需要更多國際化的人才來台灣創業、生根，合作的對象應該不只是印度而已。

目前還有其他地方也希望成為矽谷第二，例如北京也說他們要成為硅谷（大陸稱矽谷為硅谷），上海也有一點點矽谷的雛型。目前已經有很多非華人，尤其是來自美國和歐洲的年輕人組成許多團隊，在上海創業，從事的多半是資訊科技、通訊、網路等行業。

這些外國年輕人所以會在上海創業，主要是因為上海接近市場，相較之下，台灣有「兩兆」產業的技術做基礎，條件比上海好很多，接下來就必須創造市場，就像矽谷是在美國市場之內，台灣必須定位在大中華經濟圈之內，才會產生效益。

台灣要成為矽谷第二，合作的機會並不難找，最重要的是生活環境必須能夠讓外國人才願意留下來，在台灣生根發展。以印度為例，我曾經跟印度大使談到在龍潭渴望園區設立印度村的可能性，他們初步的反應是有興趣，不過還有很多細節待討論。

要建立外國人能夠適應的生活環境，我認為只能小規模推動，美國也只有矽谷及少數幾個地方的外國人很多，並不

是美國全國各地的外國人都很多，所以我想在渴望園區先試試看是否可行。

當然，印度人有機會就會先想去美國，不過現在美國競爭比較多，早期去的比較容易找到成功的機會，現在去的就可能會爭得頭破血流。然而台灣對他們而言，卻有無限的發展空間，因為未來資訊應用的發展不可限量。

兩岸三通的問題

我所謂的未來指的是未來二十年。矽谷已經發展四十年了，它在三十多年前就已世界知名，發展不到二十年就風起雲湧，在美國掀起熱潮，未來大陸市場的空間不會輸給美國，而且也可以開拓印度市場，何況在台灣創業面對的是全球市場，規模更大，這是很龐大的商機。

因此，我把大陸當作經濟新大陸。過去因為發現地理上的新大陸，所以美國崛起，而在經濟上，中國改革開放不算久，是一個經濟上的新大陸，新大陸就代表尚未開發，潛藏很多機會。

當然，大陸的機會雖多，但目前還有很多非經濟因素影響大陸的市場。例如目前尚未三通，給企業帶來一些困擾，如果物能夠先通的話，效果將立即顯現，而後人通將帶來最大的效益。目前許多計畫牽涉到兩岸，如果能夠三通，必然有助於計畫的執行和落實。

從經濟發展的角度來看，任何一個經濟繁榮的地區必定都能夠跟附近的地區直航，附近指的可能是飛行一、兩個小

時或三、四個小時的範圍之內。本地的繁榮靠高速公路，區域及國際的繁榮就要靠直航，無論在歐洲或美國的城市，重要城市之間的直接航線是經濟發展的重要關鍵。

之前政府曾提出亞太營運中心計畫，現在我們可以從三個角度來重新檢視台灣的地位，一個是人、一個是錢、一個是物。

就人而言，台灣本身已經聚集許多科技人才，進一步應該要吸引國際化的人才到台灣，或者吸引企業把區域總部設在台灣，如此就能夠把人才集中在台灣，但另一方面，也要方便他們流動到別的地方，這就必須靠三通。

至於錢，我們已經擁有資本市場，但是銀行的部分仍有待改善。台灣的本地金融非常活絡，但是還不夠國際化，台灣銀行跟大陸銀行之間的流通，加強的空間很大。

香港的國際金融很強，台灣的國際金融不見得要跟香港比，不過就像機場一樣，規模小沒有關係，但是要五臟俱全，所以台灣應該進一步放寬對金融的限制。

第三個是物。香港本身沒有貨物，都是別處的貨物在香港轉運，台灣則是本身已經有貨物，就是零組件。目前台灣的零組件是流通到別的地方，如大陸，在別的地方組裝好了再銷往世界各地。

物既然已經在台灣，就必定要流通，即使與大陸沒有直航，還是得流通，而且不只是從台灣流出去，希望未來貨物也可以從別的地方流到台灣，在台灣組裝之後再銷往全球，如此還能夠增加更大的物流量。

因此整個檢討起來，台灣如果要成為營運中心，首先要

推動三通，其次是金融國際化，其他的都是枝節。

　　目前台灣開始面對威脅，有被邊緣化的可能，因為有些外商把區域總部從台灣移到大陸。

　　過去由於台灣有很多高科技人才，而新加坡人才不足，所以吸引很多外商把區域總部從新加坡移到台灣。現在則是因為大陸市場愈來愈重要，大陸人才也慢慢崛起，大陸的重要性提升，加上三通未完全開放，使得台灣與大陸之間的交通不便，因此造成外商把大中華總部移到大陸的趨勢。

　　當然，有些事情不能只看一面，一般人都認為三通對台灣的房地產不利，但是從另外一個角度來看，三通之後，也許台商每個週末都可以回到台灣來。究竟三通之後會是哪種情形，各界的看法不一，關鍵性的決定因素在於我們整個客觀環境，包含效率、生活品質、政治的穩定性等。

■ 整合華人資源

　　最後我想談一下華人資源的整合。在全球的華人社會裡，台灣比較具備全球化發展的完整條件，包括資金的取得、市場的掌握、人才的聚集、產業聚落的成熟、國際化的經驗等。我們在這些方面的條件都優於其他地區的華人，我們的國際化經驗絕對超過美國和大陸的華人。

　　現在的產業趨勢是全球整合，台灣未來產業的發展除了不斷創新之外，我認為最重要的還是整合能力。如果要整合，經驗最豐富的「大老」才夠分量出面整合，不過大老出來整合時最好不要有政治野心，如果有政治野心，別人會擔

心被併吞，無法順利整合。

　　台灣國際化的經驗豐富，而且台灣的 B to B 業務本身就比較沒有政治意味，B to C 牽涉到一般消費者的市場，比較有政治涵義，所以台灣最適合出面整合華人的資源，然後進一步整合全球的資源。

　　台灣必須整合美國的人才、技術，大陸的人才、市場，以及台灣的人才、資金、商品化和國際化的能力。華人的整合已經在進行，其中創投扮演了部分角色，接下來如果能把印度的資源整合進來，就能進一步提升台灣的優勢。

　　美國如果要整合印度跟大陸，有距離上的困難，不過美國整合印度有語言上的優勢，而台灣整合大陸時，同時具備距離和語言上的優勢。

■ 追求附加價值的高值化

　　我們應該追求的產業目標是，未來要讓很多數位產品的科技、創新和普及化，都跟台灣有關。數位產品的技術通常就在關鍵性零組件，而數位產品的創新往往是來自於應用，普及化則是塑造 Taiwan Inside、Taiwan Design 或是 Taiwan Innovation 的形象。

　　我也曾提過 101 的形象，我們有台北 101 大樓，也可以用 101 來代表 Island of Innovation（創新之島）。如果能夠建立這樣的形象，就能夠提高我們的附加價值。

　　台灣市場的規模有限，不太可能一直在台灣發展產品的大量製造，很明顯的台灣應該不斷提升附加價值。台灣看

未來的時候，應該要改變觀念，改為無形重於有形，值重於量。這兩點表面上看起來好像會造成產業空洞化，但這種「空洞化」其實是高值化，不斷提升我們的附加價值。

有些人擔心產業空洞化會造成失業率攀升，其實，沒有技術的人可能會有高失業率，擁有一技之長的人卻會供不應求，甚至得靠外國的人才來滿足需求。早期我們解決產業人力不足的問題是靠外勞，以後要靠的是外才，外國人才，如此才能徹底解決我們未來發展的問題，順利走向高值化。

高值化有兩種涵義，一種是指單價的附加價值高，另外一種是指量很大，附加價值的總量是高值，也就是市場占有率高，例如某個產業全球的產值台灣占了一半以上，就算是高值化。

目前的電腦產業並不是靠創新來打天下，關鍵性和規模才是競爭的要素。關鍵性指的是，如果廠商要生產筆記型電腦，就一定得到台灣採購，否則沒有辦法在國際上競爭。此外，今天高科技產業的競爭要靠規模，包括英特爾和戴爾都是如此。

產品的創新並不是競爭利器，因為創新的東西大家很快就會跟進，推出創新產品之後，如果不能在別人跟進之前就普及化，反而會因為新產品的成本高而被淘汰。

今天真正的高科技都是很利基、很小的市場，而一般所談的高科技產業都是很龐大的產業，營運績效要靠規模，靠擴大經濟規模，提高營運效率，才能不斷壓低成本，英特爾是如此，台積電和友達也都必須不斷擴張，要達到世界最大的規模，鴻海也一直在擴大規模。

王道心解

面對典範轉移的挑戰

　　現在是2015年，從目前的眼光來看宏碁每次的再造，我覺得最大的挑戰，就是如何面對產業的典範轉移。

　　成長是有極限的，無論任何企業或事業的成長，都有一定的極限。如果沒有長期投資，很容易碰到極限；但即使做了長期投資，因為客觀因素變化，成功的典範已經轉移，若還是照著原本的方法做，沒有管理變革，也會碰到極限。

　　這一點，在管理學上稱之為「成功者的魔咒」。

是成功，也是束縛

　　簡單來說，就是過去讓你成功的模式，同時也可能成為你的束縛，沒有辦法發現你的成功已經是過去式；又或者，即使發現了，或是因為無法放下從前的光榮，或是因為沒有能力改變，無法跳脫，成為變革的絆腳石。

　　這樣的問題，王道思維提供了解答，就是動態平衡的概念；創造的價值、利益相關者的平衡機制，是動態而非常

態，起起伏伏也是世事的常態，無常才是常態。

　　所以，要突破成長的極限，就必須做到兩件事：長期投資與變革管理。

　　在宏碁，就是這樣。原本讓我們成功的方法，後來變得無法創造價值，只好改弦易轍。

　　談變革轉型，很重要的是機制重建與資源重置。現有的資源應該轉向高附加價值的方向，找到更大的發揮空間，讓資源的應用更有效率。

抓住原則，更有彈性

　　隨著 PC 時代逐漸由絢爛歸於平淡，能夠創造價值的空間有限，再加上消費者導向的服務日趨重要，如何結合軟、硬體為客戶創造更大的利益，就是宏碁變革的重要方向。

　　這也是台灣產業的趨勢，經濟發展走到這裡，近年來，台灣企業普遍面臨轉型的挑戰。

　　儘管曾經有幾個台灣品牌在國際市場占有一席之地，卻往往不能持續太長時間。

　　或許，是受限於代工經驗，成功者的包袱不僅在製造業身上，也存在於許多台灣產業裡，囿於成本思維，組織深陷在固有的技術與價值主張中，難以跳脫。

　　在這種情況下，一旦製造成本不再是優勢，企業就可能茫然不知所措。

　　短暫的成功，讓台灣企業形成某種僵固性，於是，過去

憑藉「一卡皮箱」闖江湖的台灣中小企業，經歷只要苦幹實幹就有錢賺的年代，卻也幾乎在差不多的時刻，面臨轉型的挑戰。

不過，從王道看整個產業的典範轉移，卻有一個原則維持不變，就是講求創造價值、利益平衡、永續經營。

也正是因為這樣，才能相對比較容易做到共創價值，並且讓生態結構中的所有個人或企業，無論規模大小，都是利益共同體。

敢犯錯，才能贏

至於要如何創造價值，我認為，創新是很重要的關鍵。

王道文化早在兩千五百年前就已經出現，流傳到現在，隨著大環境的改變，王道思維也要與時俱進，採用創新的模式，持續創造價值。而所謂的創新，又包含三大要素：價值、創意、執行。

過去，華人的創新表現不如西方，但我不認為是我們缺乏創意，只是缺乏舞台；華人的人才素質沒有問題，要提供舞台給人才磨練才是關鍵，所以我總是說：「台灣不缺人才，只缺舞台！」

然而，如果要讓人才勇於在各自的舞台上表現，首先我們必須建立一個容許犯錯與失敗的文化；不僅如此，還要重視隱性價值甚於顯性價值，更要懂得保護智慧財產權、分享知識與經驗，才可能形成一個鼓勵創新的文化。

CHAPTER 3

大步向前

—— 施振榮的成績單

「人」,是企業經營之本,是決定企業發展的關鍵。
一個人,要走到什麼地方,由自己的想法決定;
一個企業,能發展到什麼程度,依領導者的視野而定。
有時,看來犯傻的領導者,
反而能帶企業走得更長更遠。

第十一章

觀念領先，
行動領先

在宏碁的發展階段裡，
有許多與眾不同的企業文化，
甚至引領風氣之先，
例如：員工入股分紅、分散式管理、
相信人性本善、堅持不留一手、
開始就重視國際化能力；
尤其，對於接班布局，傳賢不傳子，
更是重要的堅持。

我創業二十八年以來，不只擔任宏碁一家公司的CEO，還花很多時間做了很多其他的事情。

例如，我創立了其他的事業，像是明碁電腦（現已改名明基電通）、宏大創投等；在經營管理方面，提出很多創新的觀念和行動，包括自創品牌、員工入股、分散式管理、「不留一手」的企業文化等等；在我自己的事業之外，也擔任過台北市電腦公會和自創品牌協會的理事長，提出很多開創性的做法；另外，我也設立微處理機研習中心、標竿學院，為社會培育許多人才。

做了這麼多事情，可以說我參加的考試比別人多得多，在退休前夕檢視過去努力的成果，總成績應該可以算是名列前茅，單項成績也有不少得到第一名。我一路走來，一直秉持「挑戰困難、突破瓶頸、創造價值」的精神，交出這樣一張成績單，可以說是無愧於自己、企業和社會了。

▌員工入股分紅

宏碁創立之初，由於資金有限，需要參與者全力投入，所以採取集體創業的方式，讓幹部入股、分紅，後來也開放員工參與。當時規定入股的額度是績效獎金的一半，加上每個月薪水中的10％，分期陸續繳股款，約兩年能繳齊可認股額度。

當初實施這個政策時，根本沒有想到要讓公司的股票上市，只是因為非股東就不能分紅，所以讓幹部和員工先入股然後才能分紅，否則他們就只有年終的績效獎金可拿。

　　那時候我們認為市值就等於淨值，完全沒有股票增值的概念，大概在1987年之前都是如此。1984年大陸工程董事長殷之浩投資宏碁，也是用淨值入股。那時如果有人要投資我們，都採用淨值入股，等於他們投資十元就有一股，而不是投資三十元、五十元才擁有一股，所以我和其他原始股東的持股就被稀釋了。當年用淨值入股意謂對公司的承諾與投入，不像現在是為了投資賺錢，時代已經完全不同了。

　　以前是先入股再分紅，後來變成分紅之後入股。公司股票上市之前，我都是提撥部分稅前盈餘給員工，當作是稅前之費用，這部分公司就不必繳稅。上市之後，我們把提撥給員工的紅利轉為增資股票，然後分配給員工，也就是先分紅再入股。

　　《公司法》規定公司章程必須記載董監事酬勞跟員工分紅的比例，近年來這兩項比例都有調整過。

　　以董監事酬勞來說，一般產業的標準是盈餘的1％，但是現在有些企業的規模實在太大，如果獲利超過百億元，盈餘的1％就是一億元，一億元分給十名董監事，每個人可以得到一千萬元，這樣的酬勞恐怕偏高，於是企業開始調整，不再拘泥於1％的比例。

　　至於員工分紅的比例，雖然那時《公司法》規定公司章程必須載明員工分紅的比例，但是很多企業都不執行，公司章程只記載不低於某一個比例，譬如員工分紅比例不低於盈餘的萬分之一或千分之一。但是高科技公司開始上市之後，為了留住員工，開始明訂員工分紅比例為10％，有些甚至高達20％，最近以8％最普遍。

初期的做法採取股息優先，也就是先配給股東股息，然後再分紅給員工，假設股息配完之後已無盈餘再分紅給員工，如此就失去對員工的誘因。新竹科學園區的公司為了避免員工因此而另謀出路，於是修改公司章程，取消先配股息的規定，宏碁也在1995年比照辦理。

本來宏碁的盈餘分配是扣掉10％的資本公積之後，剩下的盈餘先提撥1％做為董監事酬勞，然後分配股東股息每股一元，再依比例分配員工分紅，最後尚有餘額再分配給股東，或保留以後年度應用；修改公司章程之後，現在宏碁是提撥8％到10％做為員工分紅，不必先保障股東股息優先。

▋ 股票誘因將淡化

分紅的形式最近也有變化。之前由於很多公司不斷成長，需要資金，所以把股東和員工的分紅再增資，轉為股票，也就是全部配發股票。最近有許多公司的成長雖然還是很快，可是對資金的需求不像過去那麼大，所以股東改為發現金，不配股，但是為了留住員工，員工還是配股票。

現在證期會並不認同員工全部發股票而股東全部發現金的做法，證期會固然有其道理，但現實的情況是，公司一方面不再需要配那麼多股票，而又必須配股票來留住員工，為了在兩者之間取得平衡，宏碁的做法就是股東和員工一樣，都有現金也有股票，只是員工配股票的比例比現金高，否則我們沒有足夠的籌碼留住員工。

除非整個產業同步調整為員工不發股票，或者大幅降低

發股票的比例，否則先調整的公司可能就會先流失員工。

台灣高科技產業獨特的分紅入股模式，是造就台灣高科技產業現有成就的一大因素，台灣的情況與其他國家不太一樣，我相信絕大多數的公司或社會大眾並不清楚這個模式的精神和獨特的歷史背景。

之前張忠謀推動美國式的股票選擇權，結果並不理想，聯電董事長曹興誠則強調台灣分紅入股模式的好處。我認為這兩種模式的精神不同，適用於不同的情況。

如果公司營運良好，正處於高峰時，股票選擇權的誘因不高，因為股價不會再上漲；對於剛創業的公司，或是正要從谷底翻身的公司，股票選擇權可能有一些激勵作用，因為未來股價可能會上漲。

相較之下，分紅入股屬於投資行為，著眼於長期的發展；而股票選擇權的設計則是取得賣股票的權利，賺取價差，著重短期的利益。另外還有課稅的問題，股票分紅的課稅基礎是股票面值，股票選擇權則是面值與市值的差距全部課稅。由於有這些問題，所以我想股票選擇權的制度在台灣恐怕會慢慢淡化。

分散式管理

在管理學裡，通常都會提到家族企業或華人企業往往採取比較中央集權式的管理，這是有原因的。

在一些變化不大、資產比較多的傳統產業裡，例如建築業，需要做的決策不多，而每個決策牽涉到的資源規模很

大，如果採取比較中央集權式的管理，可以簡化決策，使決策更有效率。而且這類產業的變化不大，只要沿襲過去做對的方法，應該沒有太大問題，所以中央集權式管理比較有效。

　　但是高科技產業的情況不同，採取分散式管理比較有效。原因有二：首先，高科技產業的變化大、機會多，而且因為狀況多，所以了解狀況的人也多，傳統產業往往只有少數人真正了解情況，因此高科技產業採取分散式管理的運作比較有效。

　　第二個原因與員工的教育水準有關。知識普及的結果，造成擁有知識的人愈來愈多，高科技產業從業人員的教育水準平均較高，授權員工所做的決定，可能比高階主管一人決策還要好，而員工本身也比較希望獲得授權，擁有更高的自主性。

　　既然這個產業剛好需要分散式管理，而我又一向秉持「Me too is not my style.」（跟隨並非我的風格）的原則，所以我就率先採用這種管理模式。我甚至在1995年舉行的「集團交流大會」上提出「龍夢欲成真，群龍先無首」的口號，說明分散式授權管理的意義，以及我享受大權旁落的決心。

　　如果是在一個擁有很多公司的企業集團裡面採用分散式管理，就形成主從架構和聯網組織的組織概念。主從架構和聯網組織都是電腦的名詞，電腦也有管理的問題，早期電腦有運算能力的只有主機，終端機只是暫時輸出入資料的地方，本身並沒有處理能力，所以只好中央集權由大型主機來管理。

　　後來發展出個人電腦，每部個人電腦都有自己的「大

腦」，能夠獨立運作，因此由個人電腦做為「主」（client），
與各種不同功能的伺服器（擔任「從」，也就是server）連接
成一個完整的網路，伺服器從網路上隨時提供最佳資源給所
有相連結的個人電腦，形成密切而彈性的架構。

　　這就像現代企業組織的運作模式，知識份子像是個人
電腦一樣，每個人都有獨立思考和行動的能力，所以應該分
工，授權他們多發揮，聯網組織則是更進一步的分散和授權。

「人性本善」的企業文化

　　組織是由人組成的，如何讓員工發揮潛力，創造價值，
是組織的一大瓶頸，也是組織領導人必須面對的挑戰。很多
企業從「防弊」的角度來對待員工，但是我相信人性本善，
信任員工，授權員工，許多配套措施員工都很喜歡，例如工
廠上班不打卡，工程師出國不必簽服務合約。

　　當然也有很多人提醒我，「人性本善」的管理執行起來
常常容易有偏差。人性本善的企業文化可說是利弊互見，但
是我認為其他的企業文化也都是利弊互見，重點在於落實，
讓企業文化發揮正面的效果。

　　在宏碁的發展過程中，人性本善的企業文化在早期絕對
扮演關鍵性的角色，原因很多。

　　首先，我們的產業比較需要授權管理，人性本善的做法
讓每一名員工都受到尊重，對企業的發展比較有利；第二，
在尊重員工的企業環境下工作，員工比較有榮譽感；第三，
很少企業採取人性本善的企業文化，宏碁這麼做具有獨特

性，能夠提高公司的知名度。

▓「不留一手」挑戰傳統

「不留一手」的企業文化是我挑戰傳統想法的另一個例子。師傅留一手是中國人習以為常的文化，出發點是為了保護自己的競爭力。在競爭激烈的環境裡，凡事留一手是很自然的自我保護手段，到目前為止，很多人都還是秉持這樣的想法。

但是在知識經濟的時代，留一手的文化對企業、對社會都很不利。推動不留一手的文化有兩層涵義，在企業的層次，不留一手的企業文化是希望主管都能盡心培養部屬，傳承知識，讓組織能夠有效運作，宏碁不留一手的企業文化造就了許多人才。

在社會的層次，不留一手才能推動世界的進步。例如，在專利制度下，所有申請通過的專利都會公開，讓大家知道有更有效的新方法，只要付費即可使用。付費是為了保障擁有智慧財產權的人，專利制度、智慧財產權都是為了讓知識和智慧有代價，如此才能鼓勵大家不留一手。

美國社會不留一手的風氣比日本社會高，所以美國更進步、更有競爭力。在幾千年前，中國有很多的管理哲學已經很進步了，科技水準也不差，就是因為有留一手、祖傳祕方不能公開的觀念，而喪失了社會進步的動力，否則這些文明菁華經過幾千年的普及和流傳，現在的世界可能就是由我們主導。

　　當然，能不能主導還有很多變數，但至少我認為留一手是不對的，我要盡力破除這樣的舊觀念。

　　目前社會上留一手的風氣還是相當盛行，就是因為很多人仍然不夠尊重智慧財產權。像我發明的微笑曲線理論，雖然無法申請專利，但的確是我的智慧結晶，卻沒有受到足夠的尊重，很多人在提到微笑曲線時沒有說明是引用我的理論，所以我現在都會寫信給借用的人，請大家尊重我的智慧財產，應該注明出處。

　　宏碁常常提出很多創新的管理觀念和做法，我們也不吝與同業分享。例如我們股票上市之後，很多人向我們諮詢如何上市、如何分紅入股，當時我們還成立一個訓練單位，協助其他企業進行這方面的訓練。

內部創業

　　內部創業的模式是從美國開始流行的，但是美國文化並不適合發展內部創業，所以並沒有成功，反而是由宏碁做出了一些成效。

　　美國內部創業不成功，主要是因為美國公司靠股權來掌控，握有新創事業一半以上、甚至百分之百的股權。

　　像IBM或3M，都會讓公司內部的小組織研發一些新技術和產品，讓他們發揮創業精神，可是當小組織要慢慢擴大規模時，總公司為了繼續掌控，就讓這個小組織融入公司的大組織裡，結果創業精神慢慢消失，也無法再創造效益。

　　例如，IBM早期的個人電腦事業可以說是內部創業，但

是事業做起來之後就併到總部裡，結果IBM的企業文化和運作模式不適合個人電腦這種新事業，現在IBM的個人電腦業務就做得很辛苦。

美國企業的內部創業不成功，但是外部創業相當成功，美國產業的進步就是靠那些新創立的企業，大公司不行就被淘汰，或者進行購併，出售不具效益的部門，再合併其他的部門，從分割合併之中創造有效性。

內部創業這個名詞雖然源自美國，宏碁卻比美國公司更能夠落實，雖然並沒有百分之百成功，但是做出了一些成效。台灣很多高科技公司仿效宏碁的模式，因此我們的做法也影響了整個台灣企業的發展。

宏碁的做法跟美國企業不同，我們不是靠股權來掌控，而是靠人來掌握。宏碁內部創業的新事業獨立之後，我們把持股慢慢降至51％以下，我希望他們能夠獨立，為自己的利益著想，不要靠我來掌控。但是這些公司的領導階層出自宏碁，接受過宏碁的訓練，大大提高了經營新事業的成功機會，我們就是這樣透過人而成功發展新事業。

原宏科台中公司的合夥者邱英雄（現為達科數位公司董事長）由明基集團離職後，到交大攻讀博士，他的博士論文探討宏碁的新創事業，結果發現宏碁旗下的「小碁」當中，發展成功的都是採取內部創業的模式，因為這些公司的管理者都曾經是宏碁內部比較資深的主管，而且跟宏碁維持良好的關係，比較容易取得資源。

宏碁另外有一些投資案是引進外面的人一起創業，這種模式往往比較不成功，例如啟碁和連碁都是如此，後來宏碁

的人進駐啟碁，才扭轉了啟碁的劣勢。

▓ 自創品牌

　　自創品牌是我的使命之一，或許也是台灣許多人追求的理想。

　　自創品牌的目的是名利雙收，國際上這種案例很多，但是在台灣的客觀環境之下，有名就沒有利、有利就沒有名，絕大多數甚至是名利雙失。因為名是短暫的，如果到最後無利可圖、後繼無力時，名也就沒有了，甚至會變成失敗的案例，像這樣的案例很多。國內的自創品牌到目前的發展並不是很成功，這是我要突破的。

　　宏碁在全球競爭最激烈的產業裡自創品牌，過去的表現不能說是失敗，應該算是成效偏低，也就是說，成果有正有負，有的地區勝、有的地區負，有的時候勝、有的時候負，但是十幾年來宏碁的品牌一直排在前十名之內，這在資訊電腦產業裡已經是很難能可貴的。

　　2000年年底，宏碁推動第二次企業再造之後，經過兩年多的努力，到現在來算總帳，宏碁的自創品牌已經確定達到名利雙收的狀態，未來應該也會相當樂觀。因此，多年來宏碁一直維持在全球前十大個人電腦品牌之列，算是撐得有代價，撐出一個未來可長可久、可以賺錢的品牌，也撐出台灣最大的一個國際性品牌。

　　自創品牌這項考試，我的成績及格了，另外還有一個最大的意義，就是對國內產業有鼓勵作用。

　　我們在自創品牌的過程裡累積了很多經驗和教訓，對整個產業都有幫助，離開我們公司的人也協助其他企業創立品牌，像是明基的BenQ就受惠於此，所以能夠很快建立品牌地位，我相信華碩的Asus品牌也有受到我們的啟發和影響，這些都是宏碁自創品牌的價值所在。

■ 工業設計

　　工業設計的範圍很廣，在電子資訊產業裡，可以說是從我開始台灣的電子產品才有自己完整的工業設計。當年大同、聲寶等家電業者都有一些工業設計人員，但是當時的廠商都是引進日本的設計加以修改，真正自行從頭開始做工業設計，我應該是最早的人之一。

　　早在我第一次就業任職環宇電子，設計台灣第一台桌上型計算機的時候，我就有工業設計的觀念，我把線路設計好之後，公司卻沒有設計產品外觀的人，當時我們只有機構設計的人，他們設計出來的外形可能不夠美觀、不夠有創意，所以我就試著委託廣告公司設計。

　　廣告公司的人創意夠，卻沒有受過機構設計的訓練，所以設計出來的外形很突出，像一把手槍，卻不符合大量製造的要求。工業設計要便宜、耐用，還要可以大量製造，在當時的環境下，國內還沒有工業設計的概念。

　　我自己早年從事研究發展，設計過計算機、電子錶、筆式手錶（pen watch），工業設計是創新及成本控制的關鍵，所以日後我特別重視工業設計。

創立宏碁之後，第一年的業務收入幾乎都是來自工業設計，我們的共同創業者之一涂金泉，畢業於台北工專工業設計科，當時就由他負責宏碁的工業設計業務。另外我也請工業設計教授梁又照（目前是台北科技大學創新設計研究所教授）擔任宏碁工業設計方面的顧問，早年他也曾協助外貿協會推廣工業設計。

我曾經在1988年到1990年代初期，跟梁又照合作成立華胄工業設計公司，不過後來並不成功。

我在1997年提出XC（X Computer，專用電腦）概念時，在1998年初曾經拜訪位於美國加州巴沙迪那（Pasadena）的藝術中心（Art Center），這是一所世界知名的設計學校，我提供一些預算，讓他們的學生設計有關XC概念的東西。種種做法，都表示我對工業設計的重視，不只重視觀念，我也用許多行動來實踐。

我很早就認為個人電腦遲早都要靠工業設計來競爭，但是到目前為止，除了蘋果電腦的設計獨樹一格，能夠真正發揮工業設計的優勢，創造工業設計的價值，其他公司仍然把工業設計當作個人電腦產品的配角。

宏碁在1995年推出「渴望」電腦時，把工業設計當作主角，因而受到外界矚目，但是「渴望」電腦因為許多因素而在銷售上不太成功，使得工業設計又被降為配角。不過我們永遠不放棄工業設計，推出「渴望」電腦的第二代、第三代時，只要有機會就讓工業設計扮演更重要的角色，只是我們的做法更謹慎。

根據過去的教訓，我們設定的前提是所有科技方面的標

準都不能改變，也不能影響庫存管理、材料的調度，必須在這樣的條件下做工業設計。

貼近使用者需求

下一波的工業設計，我要推動的是「關懷科技」（Empowering Technology），讓產品更貼近使用者的需求。

首先，從使用者介面（user interface，簡稱UI）著手，例如我們在新款筆記型電腦裡增加一個新設計「關懷鍵」（empowering-key），只要按下此鍵，電腦螢幕就會出現操作很簡單的使用者介面。

廣義的工業設計就是人與機器的介面，過去工業設計只是指硬體，但是電腦裡面包含很多軟體，因此未來使用者介面也是工業設計的一環。宏碁研究這個觀念已經很多年，但是使用者介面軟體一直由微軟掌控，直到最近我們才向微軟爭取到更改部分使用者介面的權利，讓我的理想可以進一步實現。

台灣在工業設計上無法領先歐美，但是就「關懷科技」而言，我的觀念可以說是領先全球。在競爭激烈的產業裡，沒有取得主導地位的電腦公司在無計可施的客觀環境之下，仍然不斷尋求突破，「關懷科技」就是這種企圖心的產物，這是我挑戰困難、突破瓶頸的結果。

我要突破的不只是宏碁的瓶頸，這也是全世界資訊電腦產業的瓶頸，這個產業裡所有的公司都受制於Wintel而無法突破。我還是不放棄，決心要突破，至於成不成功，請大家

拭目以待，本書出版時還無法判定成不成功，因為這需要長期奮鬥。

■ 創投

1984年我成立宏大創投，這是台灣第一家創投公司。今天回想起來，當時我實在是太天真、太一廂情願了。

當時殷之浩先生願意提供資金來提攜後輩，為台灣開創新局面，而我則是因為宏碁創業非常辛苦，希望新的創業者有更好的舞台和環境，所以共同成立宏大創投，但是我們的心意後來並沒有成功，原因有幾個。

首先，宏碁內部創業都相當成功，因為這些創業者都曾在我身邊歷練過三、五年，甚至更久；創投則屬於外部創業，創業者雖然擁有創業精神，卻不一定有創業務實的做法和經驗，在分享和傳承我的經驗方面，內部創業的機制比創投好。

另外，我們在創業時，由於籌集資金非常不容易，因此很重視錢，但是現在有創投提供資金，而且資金規模都不小，所以現在的創業者對錢的重視度絕對遠低於我們。創業者只要把錢的分量看輕一點點的話，對事業的發展就很不利，網路公司的創業者集資更容易，所以更不重視錢，結果很快就泡沫化了。

因此，現在我把創投和後育成服務分開，我成立的中華智融可以協助有心創業者解決創業的各種疑難雜症，但是如果要籌錢，就得去找創投，創業者必須過五關斬六將，好好

說服創投提供資金。

　　宏大創投成立之後，曾經投資兩家具有代表性的公司，一家是國善，一家是日技。兩件投資案雖然失敗，但是都有間接開花結果，培養了許多人才。

　　日技投資案訓練了施崇棠、陳漢清等人，使得宏碁比IBM更早推出32位元的個人電腦（參見第二章），這是投資日技的附加價值。國善的附加價值就是引進了莊人川、李光陸和吳欽智。國善的成立也間接促成了台積電的成立。

　　國善成立時，還有華智、茂矽等華人在矽谷創立的記憶體設計公司，他們在美國設計好之後，因為沒有錢蓋廠生產，所以找日本人代工，尤其是沖電氣。

　　由於他們的華人背景，所以也會到台灣來找代工廠商，當時主政的李國鼎、趙耀東都認同台灣應該協助矽谷華人設計公司解決晶圓製造的問題，後來就想到「中央廚房」的概念，也就是由政府出錢蓋一座中央廚房，為這些記憶體設計公司生產，台積電是從這樣的概念產生的。

　　不過後來陰錯陽差，台積電後來所以成功，並不是靠前述這三家記憶體公司的業務，而是因為台積電先承接了飛利浦的業務，有固定訂單，技術也來自飛利浦，所以才能取得立足點，接著再慢慢拓展業務，揚智是國內第一家委託台積電代工的公司。

▌創新創投模式

　　我在創投方面採行過很多創新的模式。例如，我在1997

年成立二十一世紀基金，向國內外投資銀行募集六千萬美元，投資對象以宏碁內部創業的公司為主。內部創業還有內部創投基金來投資，這在全世界大概是獨一無二的創新做法。

內部創業的公司，初期由宏碁投資，分割出去獨立之後，就由二十一世紀基金投資，這個基金也投資非宏碁內部創業的公司，結果兩者的投資績效有天壤之別，投資在內部創業公司的績效遠高於外部公司。

2004年4月這個基金才剛剛結算，最後基金的額度沒有用完，內部投資報酬率（internal rate of return, IRR）是17%，表現很優秀，如果不是被投資外部公司的績效拉下來，IRR還可以更高。

莊人川卸下美國總經理的職位之後，宏碁提撥四千萬美元在美國做創投，由莊人川負責，績效非常好。

接著在2000年，由宏碁出面募集兩億六千萬美元成立IP Fund One基金，由莊人川及盧宏鎰分別在美洲及亞洲從事創投，當時整個網路企業正瀕臨崩盤，那筆資金可以說是在整個市場最差的時候募到的。不過，與同期間募集到的創投基金相比，我相信IP Fund One是績效最好的。

IP Fund One的資金一半投資在美國，一半在亞洲，包括台灣、大陸、新加坡和印度。投資新加坡的績效最差，因為新加坡本來就欠缺創業精神。印度的投資績效還可以，但是太遙遠了，所以我們將來改採與當地創投合作的方式，應該會有很好的成績。投資台灣的風險最低，回收還不錯。投資大陸的風險很高，但是回收很好。

現在IP Fund One的投資期已到最後階段，目前可以確定

亞洲的投資案回收非常不錯，美國的回收還算正常，但是未來兩年如果股市及上市機會好轉，回收會再提高。

我在退休之後，將把心力放在中華智融集團，創投是主要業務之一。整個架構是由中華智融做為母公司，其下有五家公司：

- 智融創新：由陳五福負責，主要業務是「投創」，也就是投資以後跟被投資者一起創業，所以案子會比較少，金額會比較大，介入會比較深。
- 智碁創投：由盧宏鎰負責，設在台灣，業務是一般的創投。
- 智碁創投中國：由盧宏鎰及陳友忠負責，設在大陸。
- 智融美洲：由莊人川負責，設在美國。
- 智融再造顧問：由呂理達負責，協助企業推動再造。

這五家公司的負責人除了陳五福之外，都出身自宏碁。中華智融的名稱傳達了一個很重要的理念，意謂著過去的經濟發展靠金融，知識經濟的經濟發展除了金融以外，還要有智融，智慧融通，這個名稱也代表我們希望創投在未來的經濟裡扮演的新角色，也就是對被投資的公司提供更高的附加價值。

■ 國際購併

國際併購的目的原本是為了加強宏碁國際化的管理能力，尤其是引進國際化的人才，但實際上多半都沒有如願。宏碁進行的許多國際購併案，例如收購康點和高圖斯，除了

獲得一些技術之外，主要是希望那些公司的人才有助於宏碁的國際化發展，但實際上絕大多數都成效不佳。

即使是收購德儀的筆記型電腦事業，在歐洲以外的地區，包括美洲和亞洲的組織都沒有幫上忙。只有德儀的歐洲團隊在後來成為宏碁二造轉型的一個關鍵，現在宏碁積極開拓美國市場，也是這個團隊從歐洲赴美打天下，但這些其實都是無心插柳的結果。

因此，無論做什麼事都應該盡力用心，因為事情的發展跟原來的預測常常會有出入，必須在變化的過程裡不斷去蕪存菁，隨時掌握對公司最有利的部分。

國外上市跟國際併購一樣，都是為了加強宏碁國際化的管理能力。

宏碁在1992年第一次再造時，發展出「全球品牌、結合地緣」的國際化策略，推動宏碁在海外與當地夥伴合資的公司在當地上市，概念包括當地股權過半、二十一世紀有二十一家海內外公司在全球上市（21 in 21）等，但是隨著內外在環境的變遷，現在這項策略已經走入歷史。

▓ 合資公司成與敗

「全球品牌、結合地緣」執行的結果，主要有新加坡和墨西哥的合資公司在當地上市，這兩家公司上市之前和上市初期表現都非常好，因為上市之前有上市的激勵作用，上市初期也能繼續維持那股動能；但是上市一段時間之後，表現就不盡理想，墨西哥的情況比新加坡更差。

　　新加坡的公司是由台灣派過去的人主導，所以營運情況還不錯，只是激勵誘因不足，因為新加坡的股市流動率低，也沒有分紅入股的制度，股票選擇權又有一定的限制，台灣採行的激勵措施無法在新加坡實施，所以只好不斷提高他們的薪水，但這麼做其實並不是很理想。

　　此外，在新加坡子公司之下還有許多合資公司，分別位於印度、泰國、菲律賓、土耳其等地，但是這些公司各有問題，要獨立上市恐怕不太容易。例如，土耳其的經濟有很多問題，至於泰國，我們在當地的合資公司本來很強，也在當地上市，後來碰到1997年的金融危機就垮掉了，甚至影響到宏碁的應收帳款。

　　後來我們收回新加坡合資公司的經營，倒不是因為上市不成功，而是因為我們在1998年準二造時，將原先在各地的RBU（地區性事業單位，新加坡合資公司就屬於RBU）和SBU（策略性事業單位）整合為GBU（全球事業單位）。

　　墨西哥合資公司上市初期的表現很強勢，後來卻非常不理想。我們分析原因後發現，墨西哥距離台灣實在太遙遠了。

　　我們派遠征軍赴中南美洲打市場，原先表現不錯，是因為當時美國認為中南美洲市場不大，並不重視，所以我們在墨西哥的合資公司可以做到市場的第一名。後來美國品牌打完全球各地的市場之後，開始加強中南美洲的市場，而且在清庫存時，價格等方面都很有競爭力，開始對我們造成很大的壓力。

　　這時就產生問題了，當地合資公司是為自己的利益而戰，不像新加坡合資公司由台灣派去的人是為總部而戰，所

以中南美洲的合資公司發現無利可圖之後，又要面對美國品牌，未來有硬仗要打，所以他們打算棄守，一直希望我們完全接手當地的公司。

我們不得不接手，但是管理能力當然比當地人差，所以兵敗如山倒，在中南美洲各地一直虧損，規模一直縮減，現在幾乎等於是撤退了，這也是當初預想不到的結果。

▌交棒給專業經理人

我不認同企業「家天下」的觀念，所以很早就公開宣示不會把公司傳給我的子女。我認為，公司只要有任何一個比例是別人的投資，只要有其他股東，這家公司就不是完全屬於我一個人，而我之所以能夠在這段時間當家作主，是因為股東大會賦予我這個責任，在這段期間內替所有股東經營。

在宏碁集團裡，我有兩個身分，一個是大股東，同時也擔任董事長做為股東的代表；另一個身分是執行長，由董事會或股東會授權我擔任專業經理人，負實際經營公司之責。

我退休之後，卸下執行長的職務，不再介入公司的日常營運，而是以大股東的身分出任董事，照顧股東權益。股東的身分可以很自然交棒，只要透過贈予、遺產等方式，就能把股權移轉給自己想交付的人。

我希望未來我的第二代，包括我的子女、媳婦和女婿，可以接我的棒出任公司董事，因為大股東對經營團隊的支持是公司營運的重要穩定力量，但是他們不會介入公司的日常經營，只擔任稱職的股東。

　　至於執行長的身分，是專業經理人，因此交棒當然也要交給專業經理人，而不是自己的子女，因為自己的子女不見得能夠勝任。目前我在公司的職務已經交棒給專業經理人。

▌第二代的企業家

　　從產業特性來看，高科技產業交棒給子女比傳統產業難得多。第一代企業家從事比較傳統的產業，產業變化少，交棒給第二代還算可行，而且有些企業家第二代的表現不輸給第一代，甚至更出色。

　　我屬於台灣經濟史上第二代的企業家，不是企業家第二代，第二代企業家從事的產業規模比較大、知名度比較高的，主要還是在高科技。第二代企業家如果要交棒給自己的子女，困難度比第一代企業家高得多，因為第二代企業家從事的產業變化快速，競爭更激烈，他們的子女不見得有能力掌握。

　　從另外一個角度來看，第一代企業家從事的傳統產業，通常是掌握資源就掌握成敗，子女只要能掌握資源，接班的困難度並不很高。第二代企業家開創的企業，不是靠掌握資源，而必須掌握人才及知識，其實知識也是存在於人才。

　　高科技產業的主要員工多半教育水準比較高，如果第二代企業家的子女無法掌握這些人才，就無法順利接班。例如，王安電腦的創辦人王安交棒給兒子，他的兒子就無法掌握公司的人員。

　　交棒之前必須做長期的安排，因為執行長的職位特殊，

必須花時間培養接班人選，這是很現實的問題。接棒要有條件，除了能力之外，還要能夠孚眾望，大家能夠接受由他來接班。如果接班人不能在組織裡獲得大家的支持，組織內就會勾心鬥角，交棒就會不順。

接班布局

以宏碁來說，我培養的接班群當中，每一個人選對我來說都是平等的。由於與我共同創業的人和第一代經營者都和我年紀相當，所以接班人應該是公司內部的第二代成員，以輩分來說是蔡國智、盧宏鎰、施崇棠、李焜耀、林憲銘等人，王振堂進公司的時間比他們晚一點。

施崇棠本來是最有潛力接班的人選之一，可是後來他離開宏碁到華碩去。盧宏鎰後來被派到新加坡，蔡國智則是派到美國，都遠離核心。一旦遠離核心，往往就不容易接班，除非是外派接受歷練，在接棒之前很長一段時間就調回來，才比較容易接班。另外，因為我延攬一位美國人擔任美國分公司的總經理，蔡國智大概覺得發展受阻，所以就離開了。

退休前我的事業分成三大塊，所以我的接班人有三個，王振堂接宏碁，李焜耀接明基，林憲銘接緯創。

明碁當初是我創立的，我從1984年成立時擔任董事長，一直到2002年才把董事長職位交給李焜耀。明碁轉投資友達，初期我也有投入協助，創立時我就放棄董事長職位而由李焜耀擔任。李焜耀從1992年接任明碁總經理以來，經營得有聲有色，他接我的班是名正言順，不做第二人想。

　　2000年年底二造時，宏碁電腦和宏碁科技合併、重組，研展製造那一塊獨立成為緯創，緯創獨立之後我沒有擔任董事長，一開始就是林憲銘當董事長，等於是我提前從研製這項業務退休，交棒給他。林憲銘在研製方面跟隨我很多年，這一塊交棒給他也很自然。

　　二造之後林憲銘接手專注研製的緯創，專注自有品牌的宏碁則由我自己負責，我找王振堂來幫忙，由他擔任宏碁的總經理。當時王振堂還不算是我的接班人，經過這兩年的經營，他把品牌做起來了，由於他已經證明了自己的能力，我才決定把宏碁交棒給他，由他繼任宏碁董事長。

第十二章

創業有成

天下事合久必分、分久必合，是歷史的常態，
在企業組織也不例外。
重要的是，王道企業家在這段過程中，
能夠培育多少人才、創造多少價值，
並且讓利益能夠平衡，
企業能夠永續經營。

宏碁創立迄今已二十八年，在這二十八年當中，宏碁經歷過許多變化，宏碁發展的軌跡說明了企業體追求的是未來，而不是過去。過去成立時有當時的背景，隨著環境變遷，也應該不斷自我調整，到了應該改變時卻不改變，就無法面對未來做有效競爭。

宏碁的版圖和面貌經歷過很多變化，較重要的像是業務性質由最初的服務業跨入製造業，最後又回到服務業，還有組織的分分合合。除了本身的發展之外，宏碁也對社會帶來一些影響和貢獻，例如，為社會培養了許多人才，我個人也參與了一些公共事務，像是擔任台北市電腦公會理事長，為產業發展盡一份心力。

▌重回服務業

宏碁剛創業時，因為資源有限，而且是進入一個台灣還不存在的未來性產業，所以選擇由服務性的業務著手，以顧問與貿易為主要業務。到了1981年，時機成熟，微處理機的應用已經較為具體，新竹科學園區也成立了，於是轉入製造業，在竹科成立宏碁電腦，這是我們第一家轉投資事業。

創業十年之後，我們已經成為擁有五家關係企業的集團，包括最早成立的宏碁公司（後來改名為宏碁科技，負責內銷和代理）、宏碁電腦（生產個人電腦，後來成為集團總部）、明碁電腦（初期專做個人電腦代工，後來轉為生產周邊設備，目前已改名為明基電通）、第三波文化事業（軟體與出版業務，二造之後併入宏碁）、宏大創業投資公司。當

時整個集團的總營業額突破新台幣八十億元。

多年來宏碁不斷多元化發展，陸續跨入電腦業上、下游的各個領域，成為一個以製造業為主、相當多元化但又專精的企業集團。

其中宏碁電腦經過相當大的轉變，由製造業又轉為當初創立時的服務業，成為現在的新宏碁。原宏碁電腦兼顧製造和自有品牌，但自有品牌在國際上的行銷起起伏伏，一直無法突破，其他的競爭對手陸續採取外包方式來提高競爭力，宏碁直到最後才跟進，成為全球十大個人電腦品牌當中，最後一家利用外包來競爭的公司。

宏碁電腦在2000年二造時，分割為研製服務和品牌營運，前者後來併入緯創資通，品牌營運的部門與宏碁科技合併，改名為宏碁公司，至此，宏碁由製造業轉回服務業。

宏碁毅然回到原來創業時的服務業領域，除了因為整個產業的生態都將製造外包，也是為了面對台灣下一波的升級，打算進入科技化的服務業。

在我2004年年底退休時，當初所創立的宏碁公司已經開枝散葉，成長為以宏碁、明基、緯創三大集團為主幹的虛擬ABW家族（參見表12-1），集團總營業額約可達到七千五百億元，交出一張漂亮的成績單。

■ 組織的分分合合

宏碁集團的發展過程，不算高潮迭起，而應該說是印證了歷史上分分合合、合合分分的軌跡。

表12-1　ABW家族

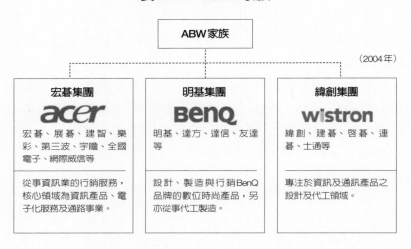

1980年代就有好幾個這樣的例子。宏碁初期的成長歷程就是不斷與人合夥，創業時是幾個人共同創業，成立初期因為人才跟資金的需要，在美國成立分公司也是與人合夥，台中和高雄分公司也都是與同仁共同出資成立，各自是獨立的分公司。直到1983年，我們以換股的方式合併美國、台中和高雄分公司，成為宏碁百分之百轉投資的事業。

1984年，我為了承接美國客戶國際電報電話公司的個人電腦訂單而成立明碁電腦，2002年5月改名為明基電通，一直發展到現在，成為一個橫跨資訊和通訊領域的企業集團。

1989年，為了解決台灣記憶體缺貨的問題，並且提升國內半導體製程技術，成立了德碁半導體。

到了1990年代，當時美國開始談論內部創業的模式，

宏碁也在1988年股票上市之後，開始推動內部創業，「分」
出許多公司，甚至提出「21 in 21」（二十一世紀在全球有
二十一家上市公司）。

　　內部創業的公司獨立大概可以分為三波，最早期有第三
波、國碁和揚智，第二波成立的有啟碁、宇瞻、展碁，接下
來第三波的創業則是成立許多網路公司，例如元碁、安碁、
太碁。這些內部創業的公司有很多後來都獨立上市了，明基
和緯創也各自有一些轉投資的公司。

　　嚴格講起來，德碁和國碁是我們跟其他公司合資成立
的，並不是由內部部門分割出去，兩者雖有一點差異，但都
是由宏碁主導。網路公司的創立，我們投資外面公司的比較
多，或者跟別人合資，真正是內部創業的比較少，因為投資
網路對我們而言算是跨入另外一個領域，內部的人才比較
少，而之前創立的都是製造業，我們人才很多。

　　2000年年底啟動二造後，整個宏碁集團比較大幅度的調
整集團結構，也是有分有合。「合」的部分像是把第三波和
展碁併回宏碁，宏電的品牌部門與宏科合併；「分」的部分
像是宏電的分割，出售德碁給台積電。

　　另外一個比較大的案子是達碁和聯友的合併，這項合併
案是由明基主導。最近的案子則是2003年出售國碁給鴻海，
2004年出售揚智給聯發科。面對產業環境的變化，我們不排
除未來還會有分分合合的變化。

　　宏碁一路上的分分合合，正好印證了中國歷史上的分分
合合，同時也受到西方企業發展過程中常見的分割合併模式
影響，例如最有名的就是奇異公司。不過這其間還是有一些

不太一樣的地方，歷史上的分分合合往往是形勢所迫，被動受到環境的驅使；宏碁的分分合合雖然也有環境因素影響，但是我個人的主動性比較高，往往都是由我主導推動的。

我之所以採取主動，是因為我想通了，願意接受美國企業經營的分割合併模式，願意放下面子問題，透過分分合合的方式來強化企業體質，有競爭力的部分要加強，沒有競爭力的部分則淡化，甚至淡出。採取主動，勇於改變，才不會被歷史淘汰。

2000年二造的原則就是強化本業，淡化非本業，這對我而言，是觀念上很大的改變。在那之前，我非常不認同國外投資者的觀念，他們把宏碁公司轉投資的業務視為非本業。

在我的經營理念裡，我把宏碁集團各個公司都當成本業在經營，因為這些轉投資公司的績效好壞最後都會反映在宏碁的財務數字。因此，以前我曾對外界說，不能用宏碁本身品牌的業務來看宏碁的績效，要把明基、宏科、國碁、德碁等公司的成績也都算是宏碁的成績，我甚至於談到賣宏碁股票的投資人會後悔。

直到2000年推動二造時我才接受國際資本市場的觀念，不再把轉投資事業當作本業來看待，這是我的心路歷程，也是一種成長。面對外界與我不同的觀念，我不跟它對抗，而是掌握住對自己有利的方向，不斷調整，現在宏碁都專注在本業的經營。

我也一直提醒明基不要落入宏碁過去的觀念，因為現在明基跟以前的老宏碁有一點像，明基的業務那麼好、獲利那麼高，但是股價卻不高，就是因為受到轉投資的友達影響，

友達從事的液晶顯示器產業起伏性比較大。

　　過去我把整個泛宏碁集團的事業都當作本業，所以泛宏碁集團的總營業額應該可以算是我的成績，以總營業額的角度來看我的成績單，應該是高科技最高的，如果從利潤率來看，也算是不差的。

■ 榮譽

　　在宏碁發展的過程中，無論是宏碁還是我個人，都獲得很多肯定，得到各種不同的獎項和榮譽。宏碁在國內很有名，得的獎也很多，在國際上獲得的榮譽比國內同業更多，因為我們是國際化的企業。

　　早期我在國內獲得比較大的獎是創業前的1976年全國十大傑出青年、1981年的全國青年創業楷模。在國際上我也受到多次肯定，更重要的是，我得獎一直沒有中斷，而且受到肯定的領域很廣，包括管理、科技等領域都有，甚至連網路這種屬於年輕人的產業我也受到肯定，2000年《亞洲週刊》評選我為亞洲二十五位推動數位化的菁英人士之一。

　　在我退休前，被美國《商業週刊》（*Business Week*）選為2004年「亞洲之星」之一，在二十五位入選者當中，我是唯一一位來自台灣的人士，這是一份很有意義的退休禮物。

　　我之所以有這樣的成績，是透過不斷的努力。其實不只我個人，宏碁內部有很多人員也得到過很多獎，包括十大傑出青年、傑出專業經理、創業楷模等等，我們可能是全台灣最多員工得獎的公司。這個現象有很重要的象徵意義，表示

宏碁培養了很多人才，不只是我個人出名，同時也有很多人才獲得肯定，很多人才有知名度。這就是宏碁的文化，不怕下面的人出頭，不會有功高震主的問題。

除了經營事業之外，我也擔任過一些公共性質的職務，例如總統府國策顧問、工研院和資策會常務董事、亞洲管理學院（Asian Institute of Management）董事等，其中我覺得很有意義的是曾經擔任台北市電腦公會理事長，以及自創品牌協會理事長。

在我創業的時候，國內的電腦公司並不多，都是以外商在台灣的分公司為主，在我參與台北市電腦公會之後，發現公會有一些問題。例如，產業在變化，但是公會的組織架構並沒有隨之調整，所以沒有代表性。此外，當時公會的會務人員年齡層偏高，尤其總幹事的年紀很大，但是電腦在當時是很新的東西，七十歲的總幹事恐怕很難勝任。

為了改革公會，原先大家希望我擔任理事長，但是當時宏碁的規模還小，所以改為推舉在電腦界出道比我早、當時擔任王安電腦台灣分公司總經理的交大同學林榮生。林榮生在理事長任內做得很好，尤其是他建立了總幹事和理事長共進退的慣例，讓公會的會務推展更順利。

後來我擔任過兩任理事長，初期的總幹事是林蓋誠（目前擔任精準創投顧問公司董事長），接下來是李志華（目前擔任達利投資公司總經理），然後是杜全昌，他們三位都很稱職。當時公會沒有什麼收入，就在宏碁旁邊租一個辦公室當作會址，由宏碁分攤費用。在這些年輕人的協助下，我們為公會建立了很好的基礎。

　　當時在台灣，台北市電腦公會真的是跟一般產業公會很不一樣。一般的公會比較被動，不太有創新的做法，總是多一事不如少一事。台北市電腦公會則是不斷推出新做法，當然也是因為這個產業還很新，不斷出現新需求，所以我們有機會開創一些新做法，但是如果沒有積極任事的理事長和會務人員，仍然不會有太多的創新。

　　當時有一些理監事非常熱心，我也願意讓大家一起參與，所以會員的向心力很高，大家集思廣益，然後由我整合大家的意見來推動會務，成為當時國內績效很好的公會。除了服務會員、爭取政府的資源等一般產業公會都有做的事情之外，我還做了一些很有意義的事情。

將電腦展從內銷轉為外銷

　　例如，我們為會員舉辦很多電腦展，尤其是把電腦展由原先的內銷轉為外銷性質。

　　台北國際電腦展最初的名稱是台北電腦展，在1981年成立時，僅是一個內銷性質的展覽，規模有限。1984年我擔任台北市電腦公會理事長時，重新構思這項展覽的方向和定位，後來決定與外貿協會共同舉辦，將內銷展轉變為外銷展，邀請外國人士來台參觀，將展覽性質轉變為國際展，我將這項展覽的英文名字定為Computex Taipei。

　　相較於國外的電腦展，我們對廠商收取的參展費用不高，甚至有一段時間，我曾經讓軟體廠商免費參展，因為我認為需要推廣軟體。2004年是台北國際電腦展二十週年，公

會頒給我感謝獎牌，肯定我在二十年前為Computex Taipei的命名與定位，把此一展覽帶向國際舞台。

經過二十年的發展，台北國際電腦展的規模愈來愈大，成為聞名全球的國際資訊展覽，和德國漢諾威電腦展（CeBIT）及美國秋季電腦展（COMDEX Fall）並列全球三大電腦展。

此外，我也強化公會的財務。公會要增加收入並不難，只要能夠保持客觀中立的立場，積極為會員提供服務。例如，我成立電腦技能基金會，舉辦電腦打字、文書處理的檢定考試，為公會賺了很多錢，同時又能推廣國內使用電腦的風氣。公會後來有能力購買會址，會費減半，甚至讓軟體廠商免費參展，都是因為公會的財產不斷累積，經費漸漸充裕的緣故。

■ 客觀草擬法案

另外還有一件很有意義、也很特殊的事情，那就是1986年公會提出的《軟體著作權法》的建議案在立法院一字不改的通過。

當時政府單位草擬的《軟體著作權法》本來是以內政部的《一般著作權法》為藍本，但是《一般著作權法》對電腦的保護非常不周全，如果實施，會有很大的問題，但是當我們知道這個情況時，草案已經在立法院二讀通過了。

由於時間很緊迫，所以我就找公司的鄭中人（目前擔任世新大學法學院院長）幫忙，並且用公會名義花一點錢請一

些法務顧問，針對美國、日本和德國的相關法令做了一些研究報告，然後草擬了一份《軟體著作權法》。

我們很慎重，還舉辦了公聽會，當時擔任立委的簡又新和林鈺祥都很幫忙。我們的草案定稿之後，就把所有的報告和條文厚厚的一本送交所有的立法委員。

最後立法院三讀通過時，完全採用我們的版本，這是很難得的情形，我認為主要是因為公會站在客觀的立場，而不是從利益團體的立場來草擬這項法案，所以到最後沒有做任何修改就通過公會的版本。

這件事也說明了我擔任理事長的立場，我一直很注意理事長的角色應該迴避公司的利益，展現很客觀的形象，贏得大家的信心。由於我的身分拿捏得宜，建立我個人和公會的客觀形象，所以我在理事長任內跟政府溝通時，政府比較容易接受。

唯一一件我沒有積極推動的就是把台北市電腦公會變成全國性的組織，本來大家一直希望公會轉型為全國性的單位，從現在的電機電子公會（電電公會）把資訊電腦業劃分過來，因為電腦應該專業，不過，這麼做會破壞很多既有體制，所以我並沒有積極進行。

我擔任自創品牌協會理事長時，就不像在台北市電腦公會時那麼幸運，但也做了很多事情，奠定不少基礎。

當時我採精兵制，會費很高，政府也有補助，我用這些經費爭取規劃「台灣精品」形象計畫，舉辦CEO圓桌會議，也曾帶團到日本和美國拜訪知名的朗濤設計顧問公司（Landor），以及當地一些大公司，了解別人的做法和經驗，

還爭取到中小企業信保基金為協會的會員保證貸款。此外，協會也舉辦很多訓練課程，我和巨大機械董事長劉清標都主講過很多次。

比較遺憾的是，電腦公會會員都在同一個產業，大家有共同利益，可是自創品牌協會的會員背景都不一樣，產業不同，公司的規模也不一。自創品牌協會召開理監事會議時，討論不夠熱烈，甚至有些由大公司負責人擔任的理監事常常不出席，無法像電腦公會可以集思廣益。

▌ 人才培育

我曾經思考過人才供需的問題，我認為，人才的成長有一定的速度，產業剛開始發展時，由於市場高度成長，所以會人才不足，等到產業成熟、市場飽和以後，人才已經足夠，甚至變成人才過剩。為了解決人才過剩的問題，就必須替人才找新的專業和新的舞台。

培養人才是有宏觀的人的責任，是在上位者的責任，也是當事人的責任。具有宏觀的人看得遠，可以預見未來人才的需求。公司在上位者就要朝這方面規劃人才的培養和訓練，這一點我覺得李焜耀比我更積極；至於人才本身，必須努力充實自己，也要能掌握機會。

這些年來，有些宏碁的人才因為不同原因而離開，有的人自行創業，有的在別家公司擔任重要幹部，這些宏碁畢業生雖然不在宏碁了，但同樣是在貢獻產業和社會。

宏碁一直很重視人才的訓練，公司設有人才訓練中心進

行各種正規訓練課程，也和國內外管理學院合作進行高階人才培訓。宏碁曾經推動過幾個重大的人才訓練計畫，例如，微處理機研習中心、「群龍計畫」、標竿學院，其中「群龍計畫」是宏碁的內部活動，其餘兩者不僅為宏碁訓練人才，也為整個產業訓練人才。

　　宏碁創業初期，因為當時國內對微處理機非常陌生，所以我們成立微處理機研習中心，傳授如何應用微處理機來設計產品，在四年之中，訓練了三千個工程師。

　　早年的「群龍計畫」，目標是在全球培養一百個總經理人才，當然台灣是最多的。當時最主要的做法，是由我巡迴全球演講，演講重點就是我稱之為「生意經」的business sense，內容都是簡單的觀念和做法，像是庫存管理、應收帳款、人事管理等，提醒他們一些重點，教他們掌握風險。

　　微處理機研習中心和「群龍計畫」都是大規模的人才培育計畫，產業需要大規模的人才，我就拚命訓練。但是在「龍騰國際」計畫之後，突然發現產業發展進入成熟階段，人才已經太多，培養那麼多高級人才卻沒有舞台發展，所以不再以大規模的方式來培養人才。目前我們欠缺的是少數關鍵性的人才，現在培養人才主要是透過標竿學院培養中高級的人才，不只是資訊電子產業，甚至擴及其他產業。

▓ 標竿學院

　　標竿學院由宏碁基金會於1999年10月成立，完全是公益性質，定位是培養台灣未來需要的中高級人才，包括國際

化管理、科技管理、領導等方面；尤其是領導人才涉及的範圍很廣，組織、變革管理等許多主題都有關。

我希望標竿學院能夠提供正規大學教育、EMBA，甚至管理顧問公司的訓練課程都無法提供的訓練。初期我們從國外引進一些課程，後來又跟全美國際管理研究所排名第一的桑德博國際管理研究所策略聯盟，現在已經辦理到第三屆的EMBA班。

桑德博國際管理研究所位於亞利桑納州鳳凰城，設於美國空軍原有的一個基地內。

全世界國際化最早的是歐洲國家，如西班牙、荷蘭、英國等，而美國是新興國家，初期先在國內開拓，國際化的腳步比歐洲晚。四、五十年前美國人開始要國際化，發現他們國際化的人才不足，所以成立了桑德博國際管理研究所，專注在國際管理的領域。

桑德博雖然不如哈佛、史丹福等名校那麼有名，但是在國際管理方面卻是水準最高的，所以我們選擇跟他們合作。我們在台灣推出桑德博最負盛名的企業國際化執行主管養成課程，宏碁派了很多人去接受訓練，大家都收穫很多。

▊ 教育訓練產業化

我從一開始就設定標竿學院是公益性質，也希望標竿學院能夠長期發展，但是只靠宏碁基金會提供有限的資源，一直消耗，總有一天資源會不足。因此，我很早就開始思考如何讓標竿學院自給自足，初期投入的資源算是投資，長期則

希望能夠自給自足，甚至還能賺錢，如果能夠賺錢，就可以投入更多資源。

我們希望標竿學院提供高水準、中價位的訓練課程，但是桑德博的課程是高價位，還沒有達到我們的理想。所以大約在兩年多以前，我跟標竿學院院長楊國安決定用新觀念來運作，我們根據微笑曲線，把教育訓練產業化。

所謂產業，必須要有標準，而且可以量化。要能夠有效量化，通常必須要有一致的規格和品質要求，就這一點而言，靠人的服務業比較難做到，教育訓練也是服務業的一環，我們必須克服量化的問題。

產業的本質就是可以分成上、中、下游，以教育訓練而言，上游就是智慧財產，包括講義及教師手冊；中游是師資訓練，培養講師成為大師的化身；下游則是品牌，例如「華人大師」系列。這樣的微笑曲線還可以應用到文化創意產業和服務業（如圖12-1）。

產業的競爭需要品牌，標竿學院是一個總品牌，「華人大師」系列是其下的一個次品牌，我跟楊國安規劃的「變革管理」是「華人大師」系列之一，其他課程如果不以華人為主，也可以規劃成不同的次品牌、不同的內容方向。

過去兩、三年我們設計了幾個課程的「模組」，多半都是兩天的課程。例如，有針對非財務背景的主管所開的財務課程，因為創業者不一定是財務出身，常常在財務方面碰到問題，這個課程就是要提供非財務主管和研展部門的主管一些基本的財務知識，他們有了財務概念之後，對企業經營的有效性、整個產業的升級，都會很有幫助。

圖12-1　教育訓練的微笑曲線

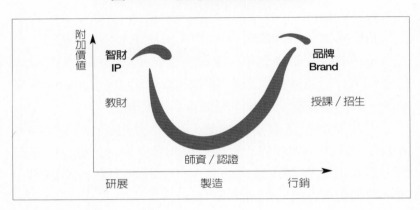

還有一項課程名稱是「關鍵時刻」（Moment of Truth），由IBM授權。IBM規劃這項課程是因為他們要從科技的公司轉型為服務的公司，課程裡運用很多故事來說明這個轉型的過程，教導員工如何改變行為模式。我們把IBM的內容中文化，然後訓練一些師資來講授。

這些課程在企業實施的效果很好，以量而言，有些課程開班數目達到五十班之多，都能達到相當的量，而且這些課程的品質好，執行不難，價位合理。

我們為每個課程設計了講義和教師手冊，目的是做師資訓練，如此才能夠量化。講義是英文的，不過為了課程的有效性，師資都是以中文授課。

經過師資訓練之後，這些講師成為大師的化身，本來只有大師一個人教，現在有十位講師可以教，如果這套師資訓練做得很好，甚至未來可能有一百人可以教。

我們目前大約有一、二十位講師，有些講師像王振容（當時擔任宏碁基金會副執行長）可以講好幾個課程，有的講師目前只能講一、兩個課程。

▓ 大師智慧本土化

大師的智慧是全球性的，我們把它本土化，符合台灣的需要。大師的智慧假設是博士級的，但是在傳授這些智慧時，可能由學士來講授就足夠了，因為過程已經標準化，師資也都受過良好訓練，再配合錄影帶等其他工具來輔助。

其實這個模式我們早在二十幾年前就已經做過，當年我成立微處理機研習中心，就是運用標準化的教材和設備，並且訓練師資，原先都是工專的教授來教。

後來我們訓練了一批講師，例如吳廣義，他大學畢業第一個工作，正式上班還沒有很久，就開始教，雖然他比學生年輕一、二十歲，但是那些學生沒有接觸過微處理機的知識，而吳廣義看過教材、受過訓練，就能夠勝任講師的角色。

在人才培育方面，標竿學院的角色吃重，智融集團的顧問服務也扮演相當重要的角色。智融集團有兩個主軸，後育成和變革管理，兩者都是經驗傳承，與人才培育有關。

後育成是對高科技產業的中小企業從成立到股票上市之前的一些輔導，有標準課程，也有專案規劃，而真正落實要靠人才培育。至於變革管理，最重要的就是新觀念，對於有心要進行變革管理的經營團隊，我們可以提供一些新觀念給他們，這也是另一種形式的人才培育。

忘記過去，才能成就未來

　　動態競爭，是王道的重要概念之一；世界是動的、變的，競爭不是只有幾個固定因素而已。

　　當世界變成平的，如果沒有轉換思維，就必須面對因沒有競爭力，導致空洞化的挑戰。所以，在資源有限的前提下，台灣必須把沒有附加價值的產業項目，主動空洞化；相對的，對於高附加價值的產業，例如：觀光農業、醫療產業等，我們應該努力挹注更多資源，尤其在有限資源下透過資源重置，方能創造更高的價值。

　　更重要的是，建立競爭力，不能等到你已經撐不下去了才來做。譬如說，過去台灣製造業看好中國大陸的低廉人力，就把工廠移過去，降低成本、創造利潤競爭力；然而，沒有一種優勢是永遠的，必須在還能創造利潤的時候，把握資源，建立未來的核心競爭力。

讓消費者也能賺到錢

　　然而，台灣缺少一項關鍵能力，就是「整合」。

　　整合，也是一種王道的觀念，強調分工；甚至，即使人人都想當老闆也沒關係，只要有方法可以整合大家的能量，進而產生更大的能量，並有良好的機制與誘因，讓大家可以共享利潤。

　　共享利潤的意義在於，企業賣東西給消費者不是只有公司賺錢，消費者也應該能夠「賺到」；甚至，舉凡投資者、員工、合作夥伴，以及社會和環境，也就是天下蒼生，都是利益相關者，都要能夠「賺到」。這些個體的利益平衡了，才符合王道，企業才可能永續。

　　今時今日，即使是一家PC公司，若企業的核心競爭力僅止於PC，市場還是太小，無法回應企業長期發展的需求。所以，在三造宏碁時，我決定把自建雲（BYOC）也加入宏碁的願景，希望能夠推廣到全球應用。

開放競爭是大勢所趨

　　宏碁的「藍天計畫」，就是在現有規模裡不斷加值。這個計畫，是以宏碁既有的品牌、通路、服務據點及集團內、外部資源，加上宏碁自建雲全球化的雲端建設服務和雲端平台（AOP），與創新團體合作，希望在「硬體＋軟體＋服務」的生態圈，釐清自己的發展方向，進而躍上全球舞台，擁抱國際市場。

　　開放平台競爭，是未來大勢所趨；宏碁的自建雲，也是開放平台，但我們並不會像Wintel或Google般強勢，台灣的

宏碁也沒有那樣的條件。所以，我們只會務實面對，慢慢花時間整合，然後改變世界。

所謂王道，其實是領導人的領導之道；而變革，則是企業經營必須持續不斷面對的問題。2000年，宏碁二次再造，策略與文化雙雙轉型。

策略面的轉型，例如分割代工事業，由新宏碁負責自有產品行銷，宏碁電腦改名為緯創資通，專責代工業務；文化的轉型，則是更加強調績效導向、客戶導向及執行力導向。

當然，策略或文化的轉型並不能完全切割，必須將變革的文化建立在組織中。

此時，傳承就是組織裡相當重要的核心能力；不只是組織最高的領導人，每個階層的部門領導人，也都需要傳承，這是一個新陳代謝、生生不息的過程。

更重要的是，組織是由一群人所組成，領導人不能只有自己悟道，有時候還必須停下來等一等。

在衝突中達到平衡

如果用小時候運動會常出現的比賽項目做比喻，或許會更容易了解。

在「蜈蚣競走」的比賽中，如果有一個人走得比較慢，甚至跌倒了，所有人都會因此無法前進；可是，這時候隊伍若想要完成比賽、爭取勝利，就不能把那個人丟下，只能有些人努力穩住腳步，有些人拉起跌倒的隊員，幫他站起來重

新跟上隊伍，大家一起調整腳步，同心加速向前走，才有可能到達終點、贏得比賽。

從這個例子就可以看出，組織中如果不是每個人都能對動態環境有所領悟，內部衝突反而會愈來愈大。

然而，衝突又是達到平衡的手段。所以，領導人的責任，就是讓快的人慢一點，幫助慢的人加快速度，讓大家都「悟」得差不多。

結語
不虛此行

　　我從1976年創立宏碁到退休為止，擔任CEO長達二十八年，應該可以說是全球電子資訊產業在位最久的CEO。之所以能夠在位那麼久，是因為我透過不斷再造來延續企業生命。

　　企業的生命可以長久，但是我很早就決定六十歲要退休，因為我想為產業建立一個典範，也希望我退休後能夠提供一些舞台給更多人。很多創業者或企業第一代退休之後，仍在幕後掌權，我不會如此。宏碁早期的管理風格就是「放手」，現在公司的業務我都已經交棒出去，更可以放心的放手，讓王振堂、李焜耀、林憲銘他們充分發揮。

　　我交棒交得清清楚楚，但其實還有一塊業務並沒有完全交棒，就是中華智融。中華智融代管宏碁的非核心轉投資事業，我退休後初期的業務就與此有關，中華智融會在未來三、五年內陸續處理那些轉投資事業，到時我就完完全全交棒清楚了。

▓ 退休後的舞台

　　退休之後我將投入兩個新事業，一個是以中華智融為

主，一個是與知識經濟相關的公益事業，例如薪傳網站、標竿學院等人才培訓的工作。

我希望中華智融可以整合全球的華人資源，協助全球華人在全球知識經濟裡扮演更積極的角色，讓華人在各地帶動當地經濟發展，發揮更大的影響力，完成我「龍夢成真」的理想。

至於人才培訓，標竿學院當然扮演重要角色，另外還有一些公益性的人才培育計畫，例如，我為了回饋母校，捐款給過去就讀的洛津國小、彰化中學及交通大學三所學校，分別以「快樂學童」、「實驗創作」與「社會服務」做為捐款運作的三個主題。

其中交大的部分，我分五年共捐贈五千萬元，設立「國立交通大學施振榮社會服務基金」，鼓勵家境清寒的交大學生參與社會服務及公益活動，其下並設有社會服務義工獎學金，只要具服務熱忱，願意從事義工工作，具低收入戶資格、家境清寒，或是家庭遭遇變故需經濟資助的學生，皆可申請。

這些活動反映了我自己的價值觀，未來的學生應該培養服務社會的精神，現在我跟交大談的第一個案子就是徵求縮減數位落差的志工計畫，希望設計出有效的運作模式，能夠在台灣複製，甚至在國際複製。

除了中華智融和人才培育之外，還有幾件事是我以前比較忽略、退休後要加強的。第一個是健康；第二個是給我的子女更多幫助，他們要靠自己去追求發展有意義、有興趣的事業，而不是繼承我的事業，我不會給他們大筆錢去創業，

但是可以提供他們一些意見。

　　此外，我也希望跟施太太到處旅行，尤其台灣現在有很多地方很好玩，以前太忙，退休後就會有閒情走訪。我也會量力而為，與施太太一起投入一些社會公益的事情。

■ 再創人生價值

　　回顧我在宏碁這一段經歷，可以說是不虛此行，雖然我的人生還沒有過完，因為從人生的價值來看，不管以後還有什麼發展，至少到現在我交出這樣的成績單，人生的價值已經很有意義了，對得起自己，也對得起社會。

　　我沒有虛度人生，最重要的有幾點。首先，我有很多突破性的成就，成就感很高。我有機會不斷挑戰困難、突破瓶頸，試想有多少人能夠擁有這樣的人生？有些人沒有機會成功，有些人成功了後來卻又敗下陣來，終至沒沒無聞，我卻有幸不斷有機會挑戰困難，創造新的高峰。也可以說，我有幸身處於這個產業、這個國家，有很多事情可以成就。

　　現在所謂的新新人類追求的人生，可能跟我們追求的人生不太一樣，現在國家的需求也跟我們當初不太一樣。我們追求的偏重在經濟方面，希望國家強盛；現在的年輕人則有感性需求，希望享受生活，經濟發展到現在這個階段，他們的需求是合理的。

　　台灣的繁榮發展，我已經貢獻了心力，對於大陸的發展，雖然我們在大陸有一些投資，但是還沒有發揮應有的貢獻。撇開政治不談，在經濟方面，大陸是一塊經濟新大陸，

值得開發，也許未來中華智融在這方面可以發揮一些作用，創造更多的價值，為全球華人做出更大貢獻。

這一路走來，我很幸運遇到很多貴人。例如：曾經改變我的小學老師何玉麟、中學的體育老師蔡長啟，在大學階段，整個交大對我的幫助都很大，除了老師之外，很多學長也不吝惜協助我，像邱再興、殷之浩等人，都是我的貴人。

此外，徵求縮減數位落差志工的計畫得到很多人認同，大家願意和我一同朝這個方向努力，有時候我開玩笑說這是自討苦吃，因為做這些事總是會遇到困難，很辛苦。

除了事業之外，我也很幸運的擁有幸福的家庭，我母親和我太太一直都很支持我。當然，我的身體變得差了一點，算是為事業付出了一點代價，不過這個代價也算合理。整體而言，事業、家庭和健康這三方面我都很幸運，並沒有得不償失。

雖然我退休了，但是能做的事情還很多，永遠做不完。只是資源和時間都有限，一定要量力而為，而且要運用智慧，借力使力，以成功帶成功，因為成功會創造資源，包括有形和無形的資源，資源多了之後，就可以挑戰更多，然後帶動更多成功。

現在，我如願在六十歲由宏碁退休，但是並不打算從社會退休，我仍將繼續創造個人的人生價值，同時也為社會創造價值。

見證歷史

張玉文

施先生「真的」要退休了。

多年前施先生就公開宣布打算在六十歲退休，當時我還在線上主跑科技產業新聞，許多受訪者都認為施先生只是說說而已，老實說，我自己心裡也是半信半疑。倒不是因為施先生的信用不好，而是因為這件事實在不容易讓人相信。

■ 一部台灣科技產業發展的活歷史

當時在科技產業，像施先生這樣電腦業第一代的創業者都還在青壯之年，不太會想到多年後的退休之事，更何況傳統產業裡第一代創業者，六、七十歲仍堅守公司努力打拚沒有交棒，或者嚷著要退休卻遲遲不退的情況，並不少見，所以施先生說六十歲要退休，難免令人感到懷疑。

但是施先生說到做到，而且他為了逐步交棒所做的許多安排，都在企業界樹立一個世代交替的典範。

為了紀念退休，施先生決定出一本書，與大家分享他創業二十八年的經驗和心得，當我得知有機會協助施先生寫作這本書時，並沒有考慮太久就答應了。自從兩年前離開喜愛的新聞工作，我就一直堅持不再採訪，這次之所以破例，純

粹是因為宏碁和施先生的緣故。

　　施先生在1976年創立宏碁時，台灣是全球最大的製鞋王國、玩具製造王國，二十八年後的現在，施先生從宏碁退休，台灣已是全球第四大資訊硬體產品的製造國，其中的個人電腦、主機板等產業都穩居全球的龍頭地位。宏碁成立二十八年來的種種發展，施先生創業以來的種種經歷，交織成一部見證台灣科技產業發展歷程的活歷史，我很高興能夠參與這本書的寫作。

　　十餘年前我剛跑新聞時，一開始就主跑科技產業，當時台灣的科技產業是蓬勃發展的新興產業，尚未像現在這樣被認可為台灣產業的主流。

　　那時如果提採訪計畫，提到王永慶、張榮發之類當產業大老已久的人物，絕不會引起異議，但若是提到施振榮、苗豐強之類的資訊業重要人物，總得多費些唇舌說服主管和同事這些人士的意見是夠分量的。現在動見觀瞻的張忠謀更不用說了，那時台積電才剛成立不久，正處於篳路藍縷的階段，除了產業內的人士和跑科技業的記者，外界知道他是何方神聖的人並不多。

　　但那時的科技業內部卻是生氣勃勃的，菁英匯集，常常接觸、採訪這個產業裡的人，總讓我覺得未來充滿了希望。那是一個奮發昂揚的年代，有許多「明星」企業一波波順勢而起，造就了許多「明星」人物，但是，其中很多人撐不過1990年代初期高科技產業的不景氣，終致黯然出局退場，有的公司現在雖然仍在，但早已不如當日風光，甚至已經易主，人事全非。

　　在捲起濤濤巨浪的產業潮流中，不景氣的寒風一陣一陣，能夠走過潮起潮落，至今堅守崗位，而且仍然交出漂亮成績單的人物不多，施先生就是其中之一。

▌ 執著與不執著

　　施先生之所以有這樣的成績，專家各種不同的分析，而對我來說，印象最深刻的是施先生經營企業的幾項特質，特別是他的執著與不執著。

　　例如，自創品牌就是施先生最執著的事情之一。台灣先天的條件，並不利於企業發展國際性的品牌，但是施先生從尚未自行創業時，就已經體認到擁有品牌的重要性，在他創業之後更是親身實踐，甚至在宏碁規模尚小之際，就開始自創品牌。

　　在本書採訪過程中，施先生曾經提到宏碁的發展歷程是先自創品牌，再做代工，但因為台灣品質不好、仿冒形象一直很強，不易扭轉，所以外界總是認為宏碁從代工起家，後來才自創品牌，譬如探索頻道（Discovery）之前為他製作的專輯就犯了這個錯誤。

　　這種誤解，即使施先生提出更正，很多人往往還是記不住。當施先生在說這些話時，並沒有忿忿不平，雖有些無奈，但更多的是一種豁達，他不受外在因素的影響，始終堅持這個他認為正確的方向。

　　這讓我回想到多年前的一個小插曲，當時宏碁砸下重金在美國做廣告和行銷，國內對宏碁的大動作有各種不同的評

價，我記得有本專業電腦雜誌在一篇文章中大大批評了宏碁的做法，還用了很嚴厲、幾乎是「刻薄」的八個字來形容宏碁在美國所做的平面廣告，那八個字我至今記憶深刻，但不忍寫出來，何況是當事人做何感想。

我想，施先生的品牌之路，除了外面看到的點點滴滴，必然還有很多不足為外人道的艱辛和掙扎，但施先生並沒有展現激憤和悲情，而是用他一貫溫和而堅定的姿態，繼續他的品牌之路，繼續他的堅持。有時候，施先生讓我覺得，他苦幹實幹的精神比傳統產業還傳統。

但是施先生也有他「不執著」的一面。執著是因為相信自己走的是正確的方向，所以即使前路多艱，也不回頭；不執著是因為發現當初選擇的方向是錯誤的，或者本來是對的，但因時移事轉，對的已經不再是對的了，所以毅然改弦更張。這其中很重要的關鍵在於是否有能力發現自己錯了。

很多CEO容易忽略自己是會犯錯的，或是即使發現自己犯錯也不肯承認，這兩個缺點施先生都沒有，這是很難能可貴的。

施先生不但習於逆向思考，挑戰既有觀念，更願意挑戰自己的觀念，這就是施先生常說的「不換人就換腦袋」。

例如，以前宏碁集團旗下各公司都用宏碁的Acer品牌，施先生希望多一些公司叫Acer，可以讓Acer生生不息，幾百個子孫到幾百年後總有一個還叫Acer，但是後來施先生的觀念改了，他認為能獲利比叫Acer更重要，所以分家之後，明基、緯創各有自己的名字。

又如施先生堅持走了多年兼營自有品牌和代工的路，也

曾頗為自豪能兼顧二者，但後來發現勢不可為，就毅然決定
拆開這兩項業務。

▓ 樹立典範與創造價值

　　施先生為退休交棒所做的安排，又一次挑戰了一般常見
的「家天下」做法。通常公司的負責人認為公司是自己的，
把公司交給自己的子女理所當然，外界也都認同這種做法。
但是施先生認為公司的負責人只是股東之一，除非是負責人
百分之百擁有的私人公司，否則就不應該把公司交給子女，
這是公私不分的行為。

　　所以施先生並沒有「傳位」給他的子女，他把整個集團
逐步交棒給三位選定的接班人，他的子女則將以大股東的身
分做為支持公司的穩定力量，並不介入公司的日常營運，施
先生為台灣企業界的傳承交棒樹立了一個無私的典範。

　　而施先生大方稱讚他的接班人們「青出於藍而勝於
藍」，也印證了他真的做到自己多年前所說的「享受大權旁
落」，才能培養出「勝於藍」的接班人。

　　除了經營企業的嚴肅話題之外，在採訪施先生時也有一
些頗有趣味的插曲，流露施先生的真性情。施先生的身價是
台灣最有資格奢華的人士之一，但施先生的生活和作風就像
他的外表般樸實無華，從未改變。他的辦公室和住家從來都
與豪華氣派沾不上邊，施先生八年前出版《利他，最好的利
己》時採訪所用的小圓桌，這次的採訪還用得到。

　　有一次，施先生談到未來的明星產品之一是液晶電視，

剛好那天採訪前我看到某日本知名品牌的高階液晶電視和電漿電視的精美型錄，於是隨口說了句：「那些產品看起來真的很吸引人，可是現在還太貴，我要等降價之後才買。」施先生立刻笑著說：「妳覺得貴啊？我也覺得太貴了，我也要等降價。」施先生毫不做作的輕鬆口吻，讓我一時間忘了他是身價以億元計的「科技富豪」，以為我正在與鄰家阿伯閒話家常。

　　施先生關心的不是物質的享受，而是「價值」，他在乎自己能夠為自己的人生和社會創造多少價值，他所有的一切作為，都是從這個核心觀念出發。一般人聽說施先生退休，總以為他從此在家含飴弄孫，或者陪施太太四處旅行，但其實他是閒不下來的人，他只是從宏碁退休，並不打算從社會退休，他還將以不同的方式創造價值。

　　採訪施先生期間，正逢總統大選，國內紛擾不斷，令人情緒低落，憂心國家的未來，但採訪施先生的時候，他還是如常的認真思考宏碁的未來、台灣和華人世界的未來、科技產業的未來，認真規劃該怎麼一步步的走，絲毫不受外界紛擾的影響。

　　在那個社會和國家低盪的時刻，感受到有人依然認真打拚，為小我也為大我，讓我重新感受到希望。我相信在台灣各地，在各行各業，都還有很多像施先生一樣認真踏實的人，用不同的方式灌溉台灣這片土地，台灣未來的希望就在這群人身上。

附錄

宏碁的里程碑

第一階段創業（1976 ～ 1985）

微處理機的園丁

使命：推廣微處理機的應用。

　　宏碁在第一個十年的創業過程中，根植了人性本善的企業文化，和員工入股的基本經營理念。藉「宏亞微處理機研習中心」的成立，兩年內替台灣資訊業界訓練了三千多位工程師，同時發行《園丁的話》雜誌，免費贈閱資訊從業人員，推廣微處理機的知識。

　　在這個階段，宏碁推出多項電腦先驅產品，例如：「小教授」學習機、「天龍」中文電腦，並開發、推廣倉頡中文輸入法，讓台灣的電腦使用普及化。

1976年

❖ 宏碁創立，登記資本額為新台幣一百萬元，員工十一人，從事貿易及產品設計。

1978年

❖ 成立「宏亞微處理機研習中心」，替台灣資訊業界訓練工程師。

❖ 發行《園丁的話》雜誌，贈閱資訊從業人員，推廣微處理
機風氣。

1980年

❖ 首度推出台灣自行設計的「天龍」中文終端機，榮獲當年
產品設計最高榮譽「行政院長獎」。

1981年

❖ 推出「小教授一號」學習機，是國人第一個以自有品牌外
銷的微電腦產品。

1982年

❖ 推出「小教授二號」家用電腦，成為台灣第一個8位元電
腦產品，並掀起「電腦家庭化」的熱潮。

1983年

❖ 推出第一台與IBM相容的XT個人電腦（PC）。

1985年

❖ 成立台灣第一批電腦銷售連鎖店「宏碁資訊廣場」。

◆　　◆　　◆

第二階段創業（1986 ～ 1995）

龍騰國際，龍夢成真

使命：打造自有品牌與邁向國際化。

　　宏碁在創業的第二個十年，迎來了第一次變革。一方
面，施振榮建立分散授權體系，並將經營權與所有權分開，
建立傳賢不傳子的基本原則；另一方，則是提出「全球品

牌、結合地緣」的概念。

在這樣的概念下，台灣成為宏碁的「中央廚房」，負責生產主機板、外殼裝置、監視器等組件，各地區事業單位則負責組裝新鮮電腦，所謂的「速食店模式」，於焉誕生。

當「速食店模式」成為宏碁國際化策略後，每個公司都成為當地獨立運作的個體，到了1993年，施振榮進一步援引當時蔚為風行的電腦主從架構，做為宏碁特有的管理模型，以因應市場的快速變化與激烈競爭。

1986年

❖ 領先IBM成功開發32位元個人電腦。

1987年

❖ 將品牌由Multitech更換為Acer。

1988年

❖ 宏碁電腦股票公開上市。

1989年

❖ 與德儀公司合資成立德碁半導體公司，投入動態隨機存取記憶體（DRAM）生產事業。

❖ 舉行關係企業經營策略研討會「天蠶變」，尋求企業突破改造。

1990年

❖ 建立進一步分散授權體系新架構，將各關係企業分為五個策略性事業群（SBU）與四個地區性事業群（RBU）。

1992年

❖ 第一次宏碁再造。

❖ 施振榮提出「微笑曲線」理論。
❖ 啟動「群龍計畫」培育一百個總經理。

1995年

❖ 推出「渴望」多媒體電腦，開創世界家用新造形。
❖ 新加坡宏碁國際公司在新加坡股票上市。

◆　　◆　　◆

第三階段創業（1996～2000）

人人享受新鮮科技

使命：提供全球大眾新鮮技術，讓消費者享受高科技成果，成為家喻戶曉的品牌。

　　施振榮提出一套公式：品牌價值＝定位×知名度。依循王道基本精神：創造價值、利益平衡、永續經營，宏碁對於品牌成敗的衡量指標，在於它是否能為企業創造價值與利潤，但領導人必須從有形／無形、現在／未來、直接／間接六個不同面向來思考，才會全面且真實。

　　在這個階段，施振榮提出許多創新的觀念和行動，例如：充分授權、分散式管理、聯網組織、不留一手、敢認輸才會贏等等企業文化。此時不僅是宏碁的第三階段創業，同時也是為第二次變革暖身。

1996年

❖ 宏碁拉丁美洲（ACLA）公司在墨西哥股票上市。

❖ 宏碁「渴望多功能智慧園區」動土。

1997年

❖ 宏碁電腦購併美國德州儀器筆記型電腦事業群。

❖ 集團董事長施振榮參加亞太資訊科技高峰會,以「開創太平洋世紀的資訊技術」為題,發表XC專用電腦論點。

1998年

❖ 宏碁集團調整組織架構與營運方向,設立五個次集團,確立以客戶為中心,發展服務與智慧財產事業。

1999年

❖ 台積電與宏碁集團策略結盟,購買30％德碁股權,主導往晶圓代工轉型,資訊業兩大龍頭共創三贏。

2000年

❖「Acer e-Life 2000生活大展」在龍潭渴望學習中心隆重揭幕,展出宏碁集團對網路生活提出的解決方案。

❖ 啟動世紀變革,宏碁集團宣布企業重大轉型計畫,取消各次集團,整合重複投資的事業,強調「專注、簡化與前瞻」,並將宏電的營運切割為研製服務(DMS)與品牌營運(ABO)兩個專注事業,分別由林憲銘與王振堂擔任總經理,向宏電董事長施振榮負責。

◆　　◆　　◆

第四階段創業(2001 ～ 2004)

駕馭科技,輕鬆快意

使命：啓動世紀變革，重視創新、創業，朝高科技服務業轉型。

面對知識經濟時代，宏碁從2000年年底開始進行企業轉型，依據簡化、專注、前瞻三大原則，大幅調整組織、重新分配資源。

一方面，將負責研展製造的事業獨立成為緯創資通公司，而宏碁本身則從硬體製造業者轉型為資訊行銷服務公司，從事資訊產品的行銷，也發展電子化服務；另一方面，明基電通另創BenQ品牌，研製行銷數位時尚產品。

在這個階段，施振榮以創新與關懷他人的心，順勢推動變革管理與典範轉移。而新宏碁的願景，則是要從製造業轉向行銷服務業、成為世界級電子化服務公司，積極迎接知識經濟時代的到來。

2001年

❖ 宏碁發表新商標，以圓潤的暗綠色字體以及小寫的acer字母，取代原先線條較硬性的商標，呈現出較軟性、活潑與親和的形象，易於傳達人性關懷的訊息，同時突出logo中的「e」字造形，標示宏碁從PC廠商跨足電子化服務（e-Business）事業，施振榮董事長並提出「巨架構微服務」（Mega-Micro）概念。

2002年

❖ 設立宏碁價值創新中心，研發更多符合市場需求的創新服務或產品。

2003年

❖ 發表「關懷科技」（Empowering Technology）技術，打造

數位家庭的理想。

2004年

❖ 12月底，董事長施振榮退休，順利交棒。

◆　　　◆　　　◆

第五階段創業（2005 ～ 2012）

專業經營，國際發光

使命：向世界學習，透過併購與通路經營，帶動企業成長。

　　延續公司創辦人施振榮的理念，將經營權與所有權分開，在「傳賢不傳子」的原則下，為迎向全球化時代，宏碁以世界為舞台，聘請專業經理人負責公司營運，引進西方管理思維與國際化人才。

　　這個階段，宏碁在國際上獲獎連連，董事長王振堂也獲得美國《時代》雜誌（*TIME*）評選為2010年全球最具影響力的一百位人物之一。在更有系統的管理制度下，宏碁逐步攀向高峰，個人電腦與筆記型電腦全年度銷售量，雙雙躍居世界第二。

2005年

❖ 1月1日起，總經理王振堂正式接任董事長，國際營運部總經理蘭奇（Gianfranco Lanci）則出任總經理一職。

2007年

❖ 宣布併購美國捷威（Gateway）公司，確立全球個人電腦

品牌第三大地位。

2009年
❖ 個人電腦全年銷售量超越戴爾，躍居全球第二。

2012年
❖ 為發展雲端技術，完成以三億兩千萬美元併購iGware公司，從事中長期布局。
❖ 董事會通過「高階主管薪酬管理準則」，提升公司治理，促進營運穩定成長，維護股東長期利益。

◆　　◆　　◆

第六階段創業（2013年迄今）
盛極而衰，王道圖存

使命：啟動第三次宏碁再造，貫徹王道企業，建立新新宏碁。

宏碁的發展，在2010年攀上高峰，從此盛極而衰，連續三年出現虧損。

2013年，施振榮重返宏碁，秉持王道精神，推動第三次再造，預計以三年時間，透過自建雲（BYOC）廣納各方人才，並推動組織改革。2015年，新新宏碁誕生，並準備迎接2016年，也就是宏碁創立四十週年。

在宏碁第三次再造的過程中，針對雲端應用、穿戴式與物聯網技術，與聯發科合作；啟動騰雲計畫，招募生力軍共創雲端未來。為求轉型，更成立策略發展室，由董事長黃少華兼任主管。最終目標，希望帶領宏碁重返榮耀，並朝王道

企業邁進。

2013年

❖ 董事會成立變革委員會，董事施振榮擔任召集人，共同創辦人黃少華擔任執行祕書，著手企業的轉型與變革。

❖ 董事長暨執行長王振堂、全球總裁翁建仁兩人辭職，由董事施振榮擔任董事長並暫兼全球總裁。

❖ 宣布變革的新願景，即致力發展自建雲（BYOC™），掌握雲時代的契機，並且轉型為結合硬體、軟體以及服務的公司。

❖ 延攬台灣積體電路製造公司全球業務暨行銷資深副總陳俊聖，出任全球總裁暨執行長。

2014年

❖ 新董事會推選黃少華先生為宏碁公司新任董事長，並推舉施振榮先生為榮譽董事長，同時擔任宏碁自建雲（BYOC）首席建構師。

❖ 與聯發科共同合作，針對雲端應用及穿戴式暨物聯網技術攜手。

❖ 啟動騰雲計畫，招募新生力軍共創雲端未來。

❖ 與翱騰國際（Octon）合作成立宏碁通信公司（AOI）推出abPBXplus

❖ 舉辦自建雲（BYOC）論壇。

2015年

❖ 推出藍天計畫邀集新創好手，進行雲端應用開發，共推物聯網浪潮。

❖ 邁入新新宏碁元年，以 New C & C 為主軸，提出智聯網
（Internet of Beings），推出雙智新雲端應用方案。

❖ 倡議以「物聯網歐亞高峰論壇」，為物聯網產業搭建起一
個共創價值且利益平衡的王道合作平台。

財經企管 560

王道創值兵法——一以貫之・以終為始・吐故納新・價暢其流

典範轉移，順勢變革（修訂版）
破而後立，掌握贏的關鍵
Millennium Transformation

原書名 —— 宏碁的世紀變革：淡出製造・成就品牌
作者 —— 施振榮
採訪整理 —— 張玉文
主編 —— 李桂芬
責任編輯 —— 劉家瑜；羅玳珊、李美貞（特約）
封面與內頁設計 —— 周家瑤

出版者 —— 遠見天下文化出版股份有限公司
創辦人 —— 高希均、王力行
遠見・天下文化・事業群董事長 —— 高希均
事業群發行人／CEO —— 王力行
出版事業部副社長・總經理 —— 林天來
版權部協理 —— 張紫蘭
法律顧問 —— 理律法律事務所陳長文律師
著作權顧問 —— 魏啟翔律師
社址 —— 台北市 104 松江路 93 巷 1 號 2 樓
讀者服務專線 ——（02）2662-0012
傳真 ——（02）2662-0007；2662-0009
電子信箱 —— cwpc@cwgv.com.tw
直接郵撥帳號 —— 1326703-6 號　　遠見天下文化出版股份有限公司

電腦排版／製版廠 —— 立全電腦印前排版有限公司
印刷廠 —— 祥峰印刷事業有限公司
裝訂廠 —— 明和裝訂有限公司
登記證 —— 局版台業字第 2517 號
總經銷 —— 大和書報圖書股份有限公司　電話／(02)8990-2588
出版日期 —— 2004 年 10 月第一版
　　　　　　2015 年 8 月 31 日第二版第 1 次印行

定價 —— 380 元
ISBN —— 978-986-320-766-5
書號 —— BCB560
天下文化書坊 —— www.bookzone.com.tw

國家圖書館出版品預行編目(CIP)資料

典範轉移,順勢變革：破而後立,掌握贏的關鍵 / 施
振榮著；張玉文採訪整理. -- 第一版. -- 臺北市：遠
見天下文化, 2015.08
　　面；　公分. --（財經企管；560)(王道創值兵法)
　ISBN 978-986-320-766-5(平裝)

1.宏碁集團 2.企業管理

494　　　　　　　　　　　　　　　　104010720